シンギュラリティ

やさしく
知りたい
先端科学
シリーズ3

神崎 洋治

JN136462

創元社

はじめに

「AIに仕事が奪われる」
「数年先には人工知能によって人類は支配される」
そんなふうに将来を心配している人がたくさんいます。

一方で、日本は未曽有の高齢化社会を迎え、労働人口は激減していきます。
「もっと真剣に自動化を進めなければ、豊かな生活を送ることはできない」
「ロボットやAIなど、新しい技術の実用化を急ごう」という声もあります。
あなたの意見はどちらに近いでしょうか。

人工知能研究の世界的権威として知られ、発明家で未来学者であるアメリカ人、レイ・カーツワイル氏によって「シンギュラリティ」という言葉と、書籍『シンギュラリティは近い』に書かれている未来予測が注目されています。内容が難解なこともあって、読んだ人によってさまざまに解釈されたり、憶測が憶測を呼んだりしている部分もあります。

本書では、「シンギュラリティとは何か？」ということに触れるとともに、現在のAIやロボット技術がどこまで進んでいるのかを具体的にわかりやすく解説することによって、「シンギュラリティは本当に起こるのか」「人工知能は天使か悪魔か」「ロボットは人間の仕事をどこまで奪うのか」などについて、読者の皆さん自身が予測できるように支援する書籍としてまとめました。そんな思いで書いた本書を勉強用やアーカイブ用、参考書として、末長くお手元に置いていただけたら幸いです。

2018年9月
神崎洋治

CONTENTS

Chapter 2
頭脳で人間を超える

Chapter 3
進化するロボット

Chapter 4
ロボティクスの挑戦

Chapter 5
コンピュータと感情、ロボットと生命

シンギュラリティとは

「人工知能が人間の知能を超えることにより社会的に大きな変化が起こり、
後戻りができない世界に変革してしまう時期」
その先の人類の社会が「楽園」なのか、「滅亡」なのか、
それは私たち人類次第なのです。

Chapter

1

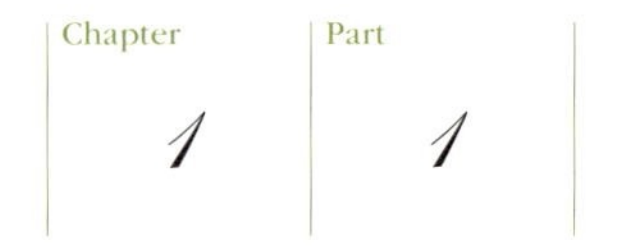

「シンギュラリティ」、それは2045年にやってくる

「シンギュラリティ」とは

ICT（Information and Communication Technology）業界を中心に今、最も注目されているキーワードのひとつが「シンギュラリティ」（Technological Singularity）です。日本語訳は「技術的特異点」とされますが、どういうことなのかはピンと来ません。「2045年問題」とも呼ばれています。

シンギュラリティという単語が注目されたのは、人工知能研究の世界的権威として知られ、発明家で未来学者であるレイ・カーツワイル氏が、2005年に執筆した著書『The Singularity Is Near When Humans Transcend Biology』（シンギュラリティは近い――人類が生物学を超越するとき）がきっかけです。

この『シンギュラリティは近い』の中では、技術革新によってこれから起こる多くの「未来予測」が綴られています。最も衝撃を与えたのは、「西暦2045年、コンピュータが人間を超越し、その先の未来は予測できない」という予想です。コンピュータやバイオテクノロジーなどが急激な進化を遂げることを指していますが、これがさまざまな議論や誤解を呼び、「コンピュータによって人類は滅亡する」「人間はコンピュータに支配される」「滅亡へのカウントダウン」といったディストピア（ユートピアの反対）としての解釈が話題を呼んだのです。

カーツワイル氏が提唱したのは、人工知能研究者や未来学者としての予測です。とても衝撃的な内容ではあるものの、本書を手にした皆さんは、皆さん自身の考えでシンギュラリティと向き合い、正しく理解し、未来を想像してほしいのです。そのために、現在のICT技術がどのような状況にあるのか、どうして急激な進化が起きようとしているのか、その上で将来はどのような社会になっていくのかを一緒に考えていきたいと思います。

空想から現実に

『シンギュラリティは近い』という書籍が発表された当時、書かれている内容の多くは批判を浴び、相手にされませんでした。未来予測には、脳をスキャンしてデジタル化したり、超小型のロボットが体内を駆けめぐったり、内臓が要らなくなったり、遺伝子を制御することで肥満がなくなったり、寿命が飛躍的に延びて死ぬことすらなくなる……、こうした内容が並んでいました。十数年前にこれを聞いたら、おそらく皆さんも「学者らしからぬ」「空想だ」「SF映画の題材か」と一蹴したことでしょう。

しかし、2012年にカーツワイル氏が米Googleに入社し、AI開発の総指揮を執り、大脳新皮質のシミュレーター(Neocortex Simulator)の開発に取り組むことが発表されると、世間の見方が大きく変わってきました。さらに、ニュース記事のインタビューに対して、カーツワイル氏は「人間のように会話して複雑な質問を理解したり、意図を汲み取ったりする検索エンジンが数年以内に登場する」と発言し、検索エンジンという現実の技術開発に応用される可能性が示唆されると、『シンギュラリティは近い』で語られていた内容の現実味が増すこととなりました。

人類が生物学を超越するとき

「シンギュラリティ」の解釈

近年、多くの人が「シンギュラリティ」という単語を都合よく使っていることもあって、その言葉に含まれる意味や解釈はたくさん存在するようになってしまいました。本書では「人工知能が人間の知能を超えることにより社会的に大きな変化が起こり、後戻りができない世界に変革してしまう時期」、言い換えれば「人間の知能を超えた強いAIが登場すると、世の中のしくみは大きく変わるとともに、人間にはそれより先の技術的進歩を予測することができない世界が訪れる」、その時がシンギュラリティであると解釈しています。

ただし、筆者の解釈には「人間はコンピュータに支配される」という意味は含みません。ここでポイントになるのは、カーツワイル氏の著書の副題である「When Humans Transcend Biology（人類が生物学を超越するとき）」です。同氏の著書で日本語に翻訳されている出版物には「コンピュータが人類の知性を超えるとき」という副題の書籍もありますが、原書の副題では主語が「人類」になっていて、あくまで人類の技術革新が生物学を超越することを予測したものになっています。似ている文章ですが、受ける印象は大きく違ってくるでしょう。コンピュータを開発しているのは人間です。囲碁の勝負で「人間の棋士に人工知能が勝った」という出来事も、本質は人工知能が勝ったのではありません。「人間の棋士に人工知能を開発した人間のチームが勝った」ということです。

シンギュラリティのその先は楽園か滅亡か

コンピュータが「感情」や「意識」を持つ日は来るのか

今現在、コンピュータには感情も意識もありません。人間に与えられた目的を達成するために自律的に考えることはあっても、あくまで人間が使うツールに過ぎないのです。では、なぜ多くの有識者たちが人工知能の未来について警鐘を鳴らすのでしょうか。

その答えも『シンギュラリティは近い』の中にあります。もしも超人類の人工知能が完成した場合、人工知能はより完全なものを目指して、自ら人工知能の開発に乗り出すでしょう。その時すでに、人工知能は人類の知性を超えている存在なので、人類には人工知能が開発した人工知能がどのようなものなのか、どのような判断で何を生み出すか予測することができません。そうなれば、後戻りもできないということです。

つまり、人工知能の進化に警鐘を鳴らしている有識者の多くは悲観論者なのではなくて、「人間を助けたり支援したりするツールとして、コンピュータやバイオテクノロジーは今後も大きな進化を遂げて、それは幸せな社会に貢献するだろう。しかし、もしも無作為に人工知能に判断や決断を委ねるような社会に向けた開発を行えば、やがて人類が予想もしなかった事態を引き起こし、取り返しがつかないことも起こるだろう」という警告を発しているのです。シンギュラリティを「コンピュータが人類の知能を超える日」だとすれば、それは必ずやってきます。おそらく2045年よりも早く訪れるでしょう。そして、その先の人類の社会が「楽園」なのか、それとも「滅亡」なのか、それは私たち人類次第だということなのです。

指数関数的な技術の進化とは

予測しない速度で進化するテクノロジー

カーツワイル氏は『シンギュラリティは近い』の中で、「テクノロジーは指数関数的に進化する」ことを強調しています。「指数関数的」とはどういうことを表すのでしょうか。わかりやすく表現すると、冪(べき)演算の「累乗(るいじょう)」で増加する、ここでは急加速で進化することを指しています。

私たちは仕事や生活において、売上、経費、給料、人口、貯金など、さまざまな数字の変化や推移を目にしますが、通常は指数関数的な増加や減少を体験することはなく、想定もしません。そのため、指数関数的な予測も想定外です。カーツワイル氏はそこに着目し、テクノロジーは指数関数的に進化してきたものだから、私たちが予測しない速度で進化することを指摘しているのです。たとえば、人類の歴史という長い時間軸で見ると、石斧のような道具は数万年という長期にわたってもほとんど進化は起こらず、蒸気、電気、真空管、トランジスタと、パラダイムシフトのたびに、技術は急激な度合いで進化が起こっていることを示しています。

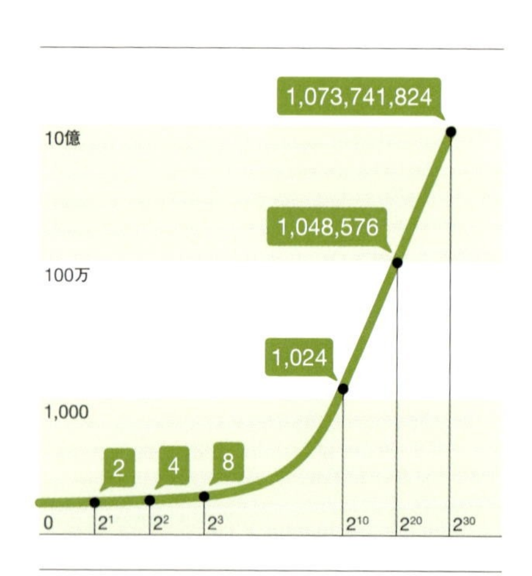

指数関数的進化のイメージ
指数関数「$y=x^2$」をグラフにすると、急加速で進化するイメージをビジュアルで感じることができる

Chapter 1 Part 5

Moore's law and evolution of transistor

ムーアの法則とトランジスタの進化

「脳型コンピュータ」実用化の可能性

ソフトバンクグループ代表取締役会長兼社長の孫正義氏も、コンピュータが人間の脳の能力を超えて、それによって社会が大きく変わる可能性があることを、能力と情報量の2点から唱えています。

2010年、ソフトバンクの株主総会でのことです。グループ代表の孫正義氏は創立30年を迎えるにあたり、次の30年間について考える「新30年ビジョン」の講演を行っています。その講演によれば、人類はかつて経験したことのない人類を超えるもの「脳型コンピュータ」の実用化を迎える可能性があるとしています。脳型コンピュータは電子回路で人間の脳をつくろうというもので、実用化に向けた研究は以前から進められています。

孫氏はプレゼンテーションの中で「ムーアの法則」に触れ、それに基づいて計算をすると「2018年にマイクロプロセッサ（ICチップ）に入るトランジスタ（半導体素子）の数が300億個に達し、人間の大脳にある神経細胞の数を超える」という試算を紹介しました。

「ムーアの法則」とは、1965年にインテルの共同創業者であるゴードン・ムーア氏が経験則に基づいて発表した論文がもとになっています。ICT業界では有名な法則で、たびたび引用されてきました。パソコンの頭脳である「CPU」（Central Processing Unit）の処理速度は年々高速になっていますが、マイクロプロセッサは18～24か月ごとに2倍の性能に進化するという内容です。

ICチップの内部はトランジスタで構成されていて、その個数が性能に大きく影響します。その法則によれば、トランジスタの集積密度は24か月ごとに倍増していく（18か月ごとという説もあります）としています。この法則は広く支持されていますが、それは実際にほぼその通り推移してきて、「性能向上」で見れば1.5～2年ごとに概ね2倍になっています。講演で孫氏はこれまでのトランジスタ性能の推移に触れています。

マイクロプロセッサのトランジスタの役割

「コンピュータのトランジスタの数と人間の脳の性能を比較することに何の意味があるのか」と疑問に思うかもしれませんが、実は「意味がない」とも言えないのです。人間の脳とマイクロプロセッサのトランジスタのしくみは非常に似ているからです。

マイクロプロセッサのトランジスタはスイッチの役割をしています（スイッチのほかにも信号を増幅する働きもあります）。ひとつひとつのトランジスタの役割

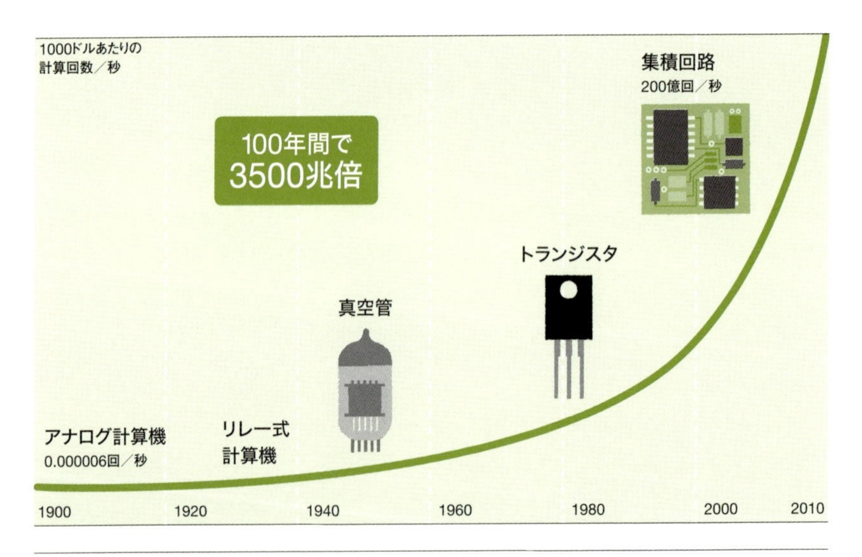

1000ドルあたりの計算回数の推移
ムーアの法則ではマイクロプロセッサの性能は1.5～2年ごとに約2倍に向上。孫氏は100年で3500兆倍に高速化されていることを解説　※ソフトバンクグループ「新30年ビジョン」プレゼンテーション資料より

はオンとオフの切り替えという単純なものですが、これが膨大な数で構成されると演算や制御といったさまざまなことが可能になります。コンピュータの複雑な計算や作業はすべて「2進数」で処理されていることは一般にも知られていますが、2進数とは「0」か「1」で、トランジスタの「オン」か「オフ」ということと同じです。コンピュータの処理能力が年々高速化している理由のひとつは、技術の進歩によってトランジスタの集積度が上がり、その「数」が年々増加していることによります。

パソコンのマイクロプロセッサで有名な米インテル社によると、1971年に発表した「4004マイクロプロセッサ」はトランジスタの数がたったの2,300個でしたが、約35年以上という年月を経て2008年に発表した、4つの実行コアを搭載した当時最新の「インテル Core i7 プロセッサ」(パソコンに詳しい人にはお馴染みのCPU)では、7億7400万個にまで増大しています。計算するとこの間に、トランジスタの数が約25か月ごとに2倍の割合で増えてきていることになり、これは「ムーアの法則」がほぼ正しいことを表しているとしています。

脳が情報を伝達するしくみ

そして人間の脳もまた、スイッチのオン・オフでつながる神経細胞(ニューロン)で構成されているのです。人間の大脳には神経細胞があります。その数は諸説ありますが、100億個超とも約300億個とも言われています。それぞれの神経細胞には間隔(すき間)があって、情報伝達物質を伝わって信号が伝えられ、物事を考えたり、覚えたり、思い出したり、いわゆる脳の機能が行われています。脳の「シナプス」という言葉を聞いたことがあると思いますが、その伝達部分や構造そのものがシナプスで、神経細胞を接続する役割を持っています。

神経細胞は情報の伝達を、シナプスが離れた状態でオフ、シナプスがくっつくことでオンにして処理をしています。すなわち脳とコンピュータ(マイクロプロセッサ)はスイッチのオン・オフ、いわば2進法の同じしくみで基本的な処理をしていると言えるのです。だからこそ「コンピュータで人間の脳をつくる」という突拍子もないような発想は決して絵空事ではないのです。

こうした理由から、脳の神経細胞の数とマイクロチップのトランジスタの数の比較は意味のないこととは言えません。ムーアの法則でトランジスタの数が増え続けたとすると、やがてその数は大脳の神経細胞の数を超える日がやってきます。孫氏の計算によるとそれは2018年だと言います。実際にはそれが2020年であったり、2025年であっても、ここでは大きな問題ではありません。要は単純計算上で、人間の脳とコンピュータの脳の能力は、すでに近いところまで来ているということなのです。

2014年以降、AI関連技術のひとつ「ディープラーニング」の台頭によって、ムーアの法則が意味のないものになりつつあります。これはトランジスタのムーアの法則が崩れたというより、新しいパラダイムへのシフトが起こったという見方が大半です。ディープラーニングの計算には「GPU」(Graphics Processing Unit) の性能がとても重要になります。そのため、コンピュータの処理性能を示す指標は、CPU からGPUにその中心が移ることになるのです。ディープラーニングやGPU についての詳細は後述します。

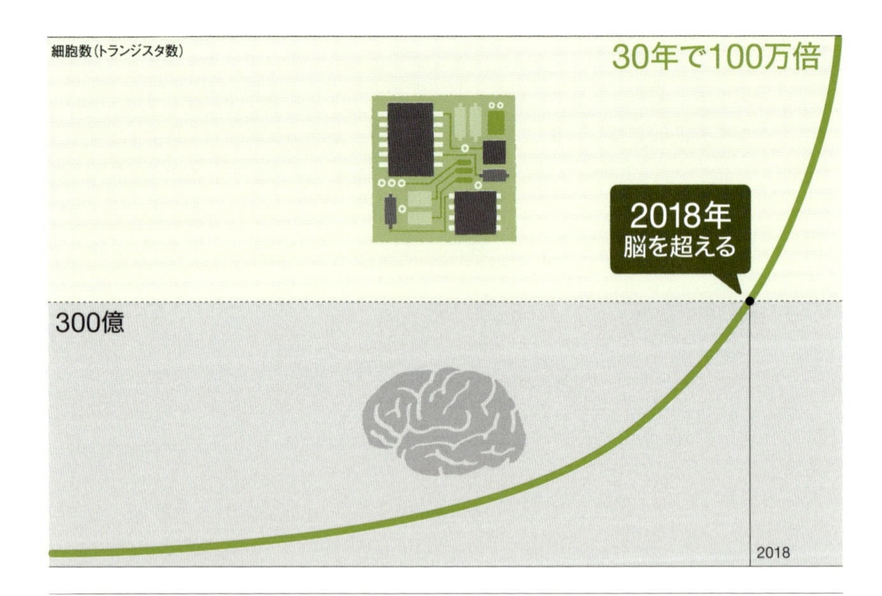

トランジスタが脳を超える

脳の神経細胞(ニューロン)とトランジスタの数を比較すると、2018年にトランジスタが脳を超える

※ソフトバンクグループ「新30年ビジョン」プレゼンテーション資料より

シンギュラリティまでの道程（AIとロボティクス）

「汎用人工知能」の実現は研究者や開発者の夢

人工知能に焦点を絞った場合、シンギュラリティまでにどのように進化をしていくのでしょうか。まずは、そもそも「人工知能とは何か？」を正しく理解しなくてはいけません。

人工知能を英語では「AI」と言います。これはArtificial（人工的な）Intelligence（知能）の略称です。この言葉が最初に登場したのは、1956年のダートマス会議のことです。学術研究分野として「人工知能」が話し合われたこの会議の中で提案されたのが発端です。それ以降、人工知能の実現に向けて学術研究が続けられ、SFやドラマなどフィクションの世界では、高度な知能を持ったAIが次々と登場してきました。物語の中に登場するAIの多くは「言語を超えて世界中のニュースを蓄積し、巨大なデータベースも瞬時に検索、その結果から人間以上の判断力で将来を予測して決断する……」そんなコンピュータとして描かれています。そこから受ける人工知能の印象は、「人間と同様の知能を持つ、または人間以上の情報と判断能力を持つコンピュータ」です。まるで「全知全能」のような存在のものもあるでしょう。

多くの人工知能研究者が取り組んできたのは、まさにそのような「人間と同様の知能を持つコンピュータ」です。それを学術分野では「汎用人工知能」（AGI Artificial General Intelligence）と呼びます。「AGI」の完成は研究者や開発者にとって長年の夢です。それは現時点でも、まだ夢なのです。60年前からAGIの研究は続けられているものの、残念ながらまだどこにもAGIは存在していません。「もうすぐ完成する」という段階にも入っていません。強いて言えば、おぼろげながら輪郭くらいは見えてきた感じかもしれません。それほどにAGIの実現は難しいのです。

AGI実現のために重要な要素技術

では、どうしてAI（AGI）が完成していないにもかかわらず、企業やニュースは連日のように「AIを導入した」と言っているのでしょうか。それは多くの場合、「機械学習を行ったコンピュータ（システム）」を「AI」と呼んでいるからです。たとえば、顔をカメラに向けると性別と年齢を推定するシステムがあります。これに「AIを導入した」という発表があったとします。これは、「膨大な数の画像を解析して、男性と女性を区別したり、年齢を推定したりする方法を機械学習したシステムが導入されている」ということなのですが、それが「AIを導入」「AIを採用」という表現になって見出しに躍るのです。

機能や能力を向上させるためにコンピュータを学習させることを「機械学習」と呼びます。機械学習自体は新しいものではなく、以前からいろいろな方法がありますが、「ニューラルネットワーク」という手法が実用的に成果を挙げるようになったのです。ニューラルネットワークは人間の脳を数学モデルで模倣した理論やその技術、アルゴリズムのことで、これはAGI実現のために重要な要素技術のひとつです。ニューラルネットワークを使って機械学習を行ったシステムには、AI関連技術が使われていることは事実です。そして、AI関連技術のひとつであるディープラーニングは、今までのコンピュータの常識を覆すような素晴らしい成果と実績を見せ、コンピュータの能力を大きく向上させるブレイクスルーとなっています。AGIという今はまだ夢である存在をわかった上で使うなら、ニューラルネットワークが使われているシステムをAIと呼ぶことを、むやみに否定するのは建設的とも思えません。

こうした背景から、「AGIが実現したのではない」「真に人工知能と呼べるものはどこにもまだ存在しない」という前提の上で、「ディープラーニングのようなニューラルネットワークを活用し、機械学習を行ったシステムをAIと呼んで、従来のコンピュータと区別することは否定する必要もない」という段階になっているのではないでしょうか。

特化型AIの進化が汎用型AIを生み出すか

しかしながら、これらのAIはやはりAGIとは区別すべきです。そこで、AGIが「汎用型AI」であるのに対して、ある特定の分野や業務にのみ特化した頭脳としてつくられたものを「特化型AI」と呼んでいます。「汎用型AI」を「強いAI」、「特化型AI」を「弱いAI」と呼ぶこともあります。

このように汎用型AIと特化型AIの関連が理解できると、「AI」という言葉の解釈のしかたがはっきりしてきたと思います。今、現実社会で実用化されてきたのは特化型AIであり、その多くはニューラルネットワークを使って機械学習され、特定のことだけに対する認識や判断を向上させたシステムであるということなのです。特化型AIは特定のことだけしかできませんが、それを寄せ集めれば、たくさんのことができるようになります。特定のことも2つ、3つと増やしていけば、汎用性に近づきます。そのため、特化型AIが進化していけば、いつかはAGI実現の礎になるかもしれません。

シンギュラリティ、それはAGIが完成した以降に起こる、さらに先の未来です。将来、人間と同様の知能を持ったAGIが生み出されたとき、それを人間が制御できる状態にしておく必要があります。ひとたびAGIがAGIを生み出すようなことが起こると、そのAGI自身がより強いAGIを生み出すという人類の知能を超えるAGIの進化の連鎖が起こりはじめるでしょう。その時、指数関数的に進化するAGIは、もはや人類が制御できる領域をはるかに超えていて、人類はそれを止めて後戻りするための術(すべ)は失っているだろうということなのです。

「人間を超えるヒューマノイド誕生」に必要な技術

ヒューマノイドに必須のセンシング技術

近未来を描いた傑作『ブレードランナー』では、「レプリカント」と呼ばれる人造人間が登場します。ほかにも、『エイリアン』シリーズをはじめとするSF映画では、人間そっくりなヒューマノイドがたびたび登場します。人工知能は人間の頭脳や知能をひとつのゴールとしているので、肉体的なものは伴いません。しかし、ヒューマノイドとなると、頭脳だけでなく人間に近い身体能力や、人間と同様の容姿も実現しなければなりません。そのため、人工知能（AI）とロボット技術（ロボティクス）がポイントになることは容易に想像ができます。

しかし、実はもうひとつとても重要な技術が必要です。それは「感覚」です。人間の身体はコミュニケーションをとるために、さまざまな感覚を駆使して周囲の環境や状況から情報収集し、脳が適切に判断したり、適切に身体を動かしたりすることに使っています。

AIとロボティクスが近年急成長を遂げていますが、この「感覚」もまた、急成長を遂げようとしています。視覚と聴覚はカメラやマイクロフォンの精度が向上することで、AIの分析力や判断力が向上しています。周囲に人がいるかどうかを検知するセンサーも向上しています。スマートフォンには、人感センサーや照度センサー、3Dジャイロセンサーなどの「センシング」技術が使われていますが、ほかにもさまざまな機器にセンサーが搭載され、その技術が日々向上しています。その牽引の一翼を担っているのが「IoT」（Internet of Things）です。

頭脳と身体と感覚の飛躍的進化

超小型化したセンサーがあらゆる機器に搭載され、センサーが得たデータはインターネットなどの通信を通じて随時クラウドに送られます。送られたデータを蓄積すると、やがて膨大な量の「ビッグデータ」になります。それをAIが分析・解析、予測することで「見える化」するのです。さまざまな場所のさまざまな機器のセンサーの数値を、手元のスマートフォンで確認できるようになると、わざわざ足を運ばなくても一瞬で情報がわかるようになります。また、今まで人間はベテランの勘や感覚によった技術を「匠の技」としてきましたが、それをセンサーが数値化したり、解析したりすることで、勘や感覚を「見える化」することすら可能となりつつあり、農業などではその傾向が顕著になってきています。

この技術は、精度の高いヒューマノイドの実現には不可欠です。

今、ICT業界は「AI」「ロボット」「IoT」を最も重要なキーワードとして邁進しています。頭脳と身体と感覚の進化は相乗効果を生み出します。そしてこれらはすべて「シンギュラリティ」に向けて飛躍的に進化すると言われている技術でもあります。これらが同時に進化することによって、まさに指数関数的な技術革新が起こりうる、そんなことを実感しています。

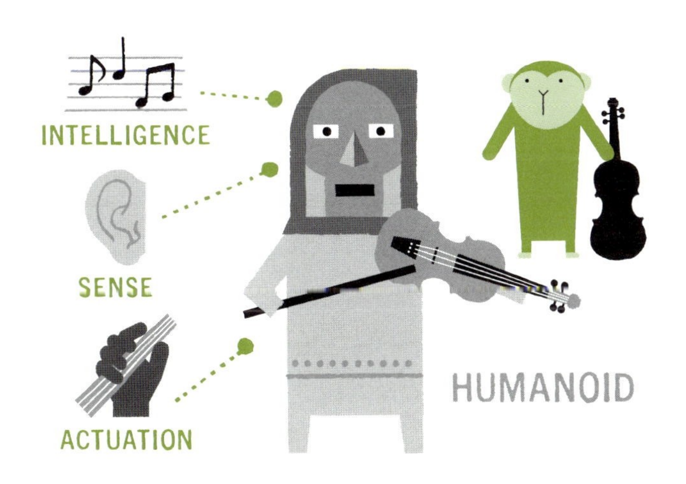

自動運転はロボティクス技術の結晶

自動運転技術の可能性と課題

学術的な研究は、時に世界初の発見や発明を生み出します。しかし、それを実用化したり、高精度で発展させたりするためには、ビジネスを伴う必要があります。研究開発にはお金やモチベーションが必要となりますが、それを継続するには産業の助けや企業間の競争が必要です。

人工知能、ロボティクス、センシングの高精度な実現を求めている巨大産業のひとつが自動車産業です。そんな自動車産業で、2020年代初頭の実用化に向けて各メーカーが競って研究しているのが、ドライバーが要らない自動運転車の実現、実用化です。そして自動運転車の実現に最も重要な要素技術が、人工知能、ロボティクス、センシングと共通なのです。決められたルートを走行する能力、周囲の状況を把握する視力を含めたセンシング能力、危険を判断して回避する判断力など、自律型ロボティクス技術そのものです。それを各メーカーが競い、巨額の開発費を注ぎ込んで開発をしているので、研究分野で発見・開発された新技術を我先にとテストする状況も生まれやすいでしょう。

自動運転車が実現すれば、移動する多くの機器の自動化が実現します。AIの判断力が向上し、センシングの知見が蓄積されれば、ヒューマノイド型ロボットの自律移動にも活かされるでしょう。自動運転車についてはむしろ、技術的にはほぼ完成しつつある段階に来ています。すでに公道を走る実証実験も行われ、決められた特定の区域であれば、すぐにでも実用化が可能です。しかし、技術よりも法律が遅れています。事故があったときに誰が責任をとるのか、それすら明確な見解の事例はまだありません。

頭脳で人間を超える

ニューラルネットワークによる深層学習（ディープラーニング）が、
現在のAIブームの中核です。
コンピュータの知能化が急速に進んでいますが、
人間と比べるとどのくらい賢くなったのでしょうか？

Chapter
2

人間とコンピュータの頭脳戦

コンピュータは頭脳で人間に勝利できるのか

「世の中にクルマが2台生まれたとき、どちらのクルマが速いのか人々は知りたいと思い、レースへの関心が生まれた」と言われるように、おそらくコンピュータが誕生してまもなく、人々は人間の頭脳とコンピュータを比べることに興味を抱いていたに違いありません。実際に人工知能ブームの初期段階では、「コンピュータはこれだけ賢く計算ができるのだから、すぐに人間の知能を超えてしまうに違いない」と言った研究者も多く登場しました。

かつて「人間 vs コンピュータの頭脳戦」と言えば、チェスが注目されました。IBM製のチェス専用スーパーコンピュータ「ディープ・ブルー」(Deep Blue)です。1996年、当時チェスの世界チャンピオン、ガルリ・カスパロフ氏とディープ・ブルーとの一戦が行われました。報道でも大きく取り上げられ、今日でも有名なエピソードとして歴史に残っています。

ディープ・ブルーは32ビット処理のコンピュータIBMのRS/6000 SPをもとにしたシステムで、IBMの公式発表によれば「32個のプロセッサが搭載されており、1秒間に約2億手を読む演算が可能」でした。当時としては最先端のハードウェアで構成されたチェス専用コンピュータです。

それでも結果はコンピュータの敗戦でした。1996年2月に開催された第一戦は五番勝負、カスパロフ氏が3勝1敗2引き分けで勝利したのです。しかし、IBMの開発陣は諦めることなく、1997年5月に挑んだ再戦で、ディープ・ブルーが2勝1敗3引き分けの成績で接戦を制したのです。

チェスや将棋でどうやったら相手に勝てるかを考えるとき、多くの人が「先読み」を思いつくでしょう。次の一手にはどのようなものが有効であり、その手を打った場合、相手はどう打ち返してくるか……、たくさんのパターンを覚えれば勝てる確率が上がるに違いない、そう考えます。コンピュータもその考えのもと、多くの手の有効度を評価関数で表して比較し、最良の手を算出します。

ディープ・ブルーは約2億通り近いパターンを瞬時にシミュレートして、最良と思われる次の一手を繰り出すというものでした。また、カスパロフ氏が実際に過去に打った戦術も学習させ、まさに打倒カスパロフ氏専用のチェス対局システムとしてチューニングされていました。こうして、膨大なデータと高速な演算能力によってコンピュータは勝利を得たのです。

世界チャンピオンに知性を感じさせたコンピュータ

IBMは「人工知能」(AI)を万能型(汎用型)のコンピュータとして定義しています。そのため、チェスだけに特化したディープ・ブルーを人工知能とは呼びません。専門分野に特化した高度なコンピュータを「エキスパートシステム」と呼び、ディープ・ブルーはチェスで人間のチャンピオンに勝利したエキスパートシステムとして記憶されています。実際に「ディープ・ブルーは評価関数を使い、桁外れの計算能力で最良の次の一手を提示しているだけで、それでは知能を持っているとは言えない」というコンピュータや人工知能の専門家による意見も多かったのです。一方で、このとき勝負に敗れたカスパロフ氏自身は対局後に「ディープ・ブルーには知性を感じた」とコメントしているのが興味深い点です。

ちなみに、ディープ・ブルーの後継機は「IBM Blue Gene」です。2007年、IBMが発表した公式プレスリリースでは「13万1千個のプロセッサを駆使し、通常の動作で毎秒280兆回の演算を処理する。1人の科学者が1台の計算機を使用した場合には、17万1千年休まずに計算し続けなければならないところを、Blue Geneならわずか1秒間で演算処理を行うことができる」としています。まさに計算能力としては桁違い、人間が及ぶものではありません。その一方で、超高性能なコンピュータと知能を持ったコンピュータとは、まったく別のものであることにも注目が集まった出来事となりました。

Googleの猫

ニューラルネットワークの時代の到来を予見させたネコ画像

2012年、たった1枚の画像がネットでは大きな話題となりました。その画像はネコの顔のように見えるもので、これがニューラルネットワークの時代の到来を予見したものだったことは、ごく一部の人しか気づくことはできませんでした。その画像は米Googleの研究チーム「Google X Labs」(当時)が、機械学習技術に関してのある研究成果とともに発表したものでした。

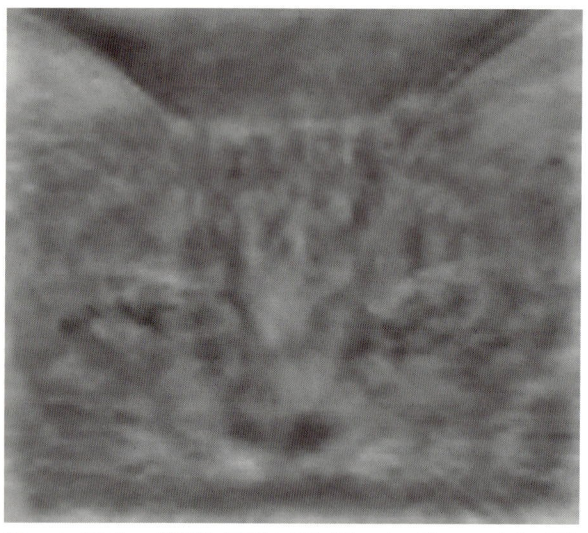

「Google X Labs」が発表した画像▶通称「Googleの猫」。この1枚の画像が数年後のディープラーニング台頭へとつながっていく

ネコを自律学習したコンピュータ

Googleが発表した内容によると、YouTube動画から切り出した画像データを膨大に用意して、いわゆる人工知能を想定したコンピュータに与えて1週間学習させたところ、コンピュータが自律的に「ネコ」を学習したというのです。

このニュースを読んでも、多くの人はその意味が理解できなかったと思います。「ネコの画像を入力すると、膨大な画像の中から同様のネコの画像を判別できるようになったのだろうか？」「ネコを学習したので、ネコというキーワードでも画像を識別できるようになったのだろうか？」、そんな画像解析や検索の話だと思ったことでしょう。

しかし、本質はそうではありませんでした。そもそも人間が、きっかけとなるネコの元画像を与えたわけではなく、コンピュータ自身が膨大な画像の中から自身でネコの容姿を特定し、「猫という存在」を自律学習したのです。人間が教えていないのに、コンピュータが「ネコを学習した」のです。

Google X Labsの発表は、最近の「ディープラーニング」の話題にもつながっていきます。ディープラーニングは日本語では「深層学習」と訳され、現在、最も注目されているAI関連技術のひとつです。これは脳の特性を真似たモデル「ニューラルネットワーク」の技術が使われていました。詳しい解説は後述するとして、ニューラルネットワークとはどういうものかをまずは簡単に解説します。

ニューラルネットワークとは

情報を処理・伝達するニューロンとシナプス

人間の脳の外観と構造は明らかになっているものの、そのしくみは学術研究的に完全に解明されているわけではなく、謎だらけです。しかし、研究によってさまざまな仮説が立てられています。ここでは、わかりやすいように、おおまかな解釈に基づいてしくみだけを解説します。

人間の脳は300億を超える（数については諸説あります）膨大な数の「神経細胞」で構成されていると言われています。この神経細胞を「ニューロン」（Neuron）と呼びます。すなわち無数のニューロンが脳の役割を担っています。

無数のニューロンとニューロンは「シナプス」によって連携します。ニューロン間のシナプスをつなぎ、電気信号でニューロンからニューロンへの情報の伝達が行われます。シナプスはニューロン間をつなぐ通信回線です。ところが、脳自体は高度な計算や認識能力を持っているわけではなく、ニューロンの情報伝播によって能力が生み出されるという説があります。

人間の脳神経回路のしくみや構造を模したニューラルネットワーク

ニューロンの主な役割は、情報を処理することと、他のニューロンにその情報を伝達（入出力）することだと言われています。ニューロンが処理した情報を、膨大な量の他のニューロンに伝えることで何らかの結果を得ます。それは身体的や精神的な反応かもしれませんし、記憶したり、思い出したり、計算の結果を出したりといった知的な振る舞いかもしれません。

たとえば、下図のような「犬の写真を見た」とき、その情報は無数のニューロンにシナプスを通じて脳内に拡散され、反応したニューロンから情報をつなぎ合わせて認識したり思い出したりするという説があります。ニューロンが反応することを「発火する」と表現することもあります。

このようなニューロンの働きを数学モデル（アルゴリズム）で再現しようとしたのが「ニューラルネットワーク」です。「人工ニューラルネットワーク」（ANN、Artificial Neural Network）とも呼ばれ、人間の脳神経回路網を真似て、その学習プロセスをコンピュータで再現、シミュレートするために研究・開発されてきた技術です。実体としてはアルゴリズムと呼ばれるソフトウェアですが、コンピュータなのに学習や記憶のやり方が人間とよく似ている点が大きな特徴です。

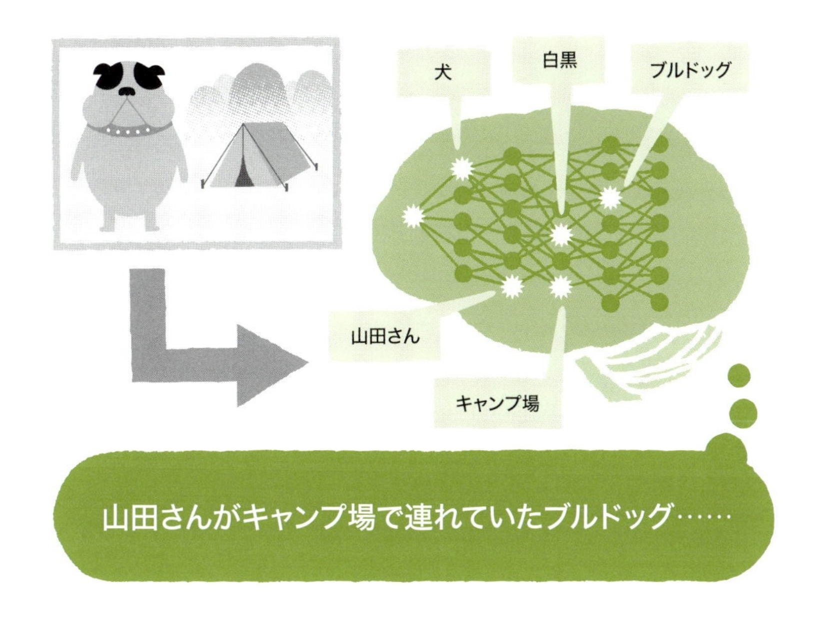

ニューロンと情報処理の例（仮説）
写真を見た情報から、写っているのが「哺乳類」だと認識したニューロンが反応し、それは「犬」、さらには「ブルドッグ」だと認識したニューロンが反応し、「白黒の模様」「山田さん」「キャンプ場」……といった関連したニューロンが反応することで、脳は「キャンプ場に行った時に山田さんが連れていたブルドッグという種類の犬で、白黒の模様をしていた」ことを思い出す……さらには「あの時は前の日が雨で、キャンプに行けるか心配だったな」とか「火をおこすのに苦労したっけ」といった記憶が呼び出される

ニューラルネットワークは人間の脳の模倣モデル

機械学習と自律学習

コンピュータのソフトウェアは、プログラマーがプログラムコードを書いて（入力して）作成します。コンピュータはプログラムで指示されたことを正確に実行できる反面、プログラムで教えられていないことはできないというのが常識でした。

一方、人間の子どもたちは授業でいろいろな勉強を教えてもらうとともに、自分で興味を持ったことを調べたり、友達と遊んだり、さまざまな経験からたくさんのことを学びます。いわば「自律」学習をしています。

コンピュータが学習することを「機械学習」と呼びます。機械学習にニューラルネットワークを使って、人間が与えたデータを分析してコンピュータが答えを返すようにすると、「入力したデータに対して何らかの発見を出力」します。たとえば、たくさんの写真を人に見せるとどのようなことが起こるでしょうか。機械学習でもそれと同じような現象が起こることが成果として現れてきたのです。

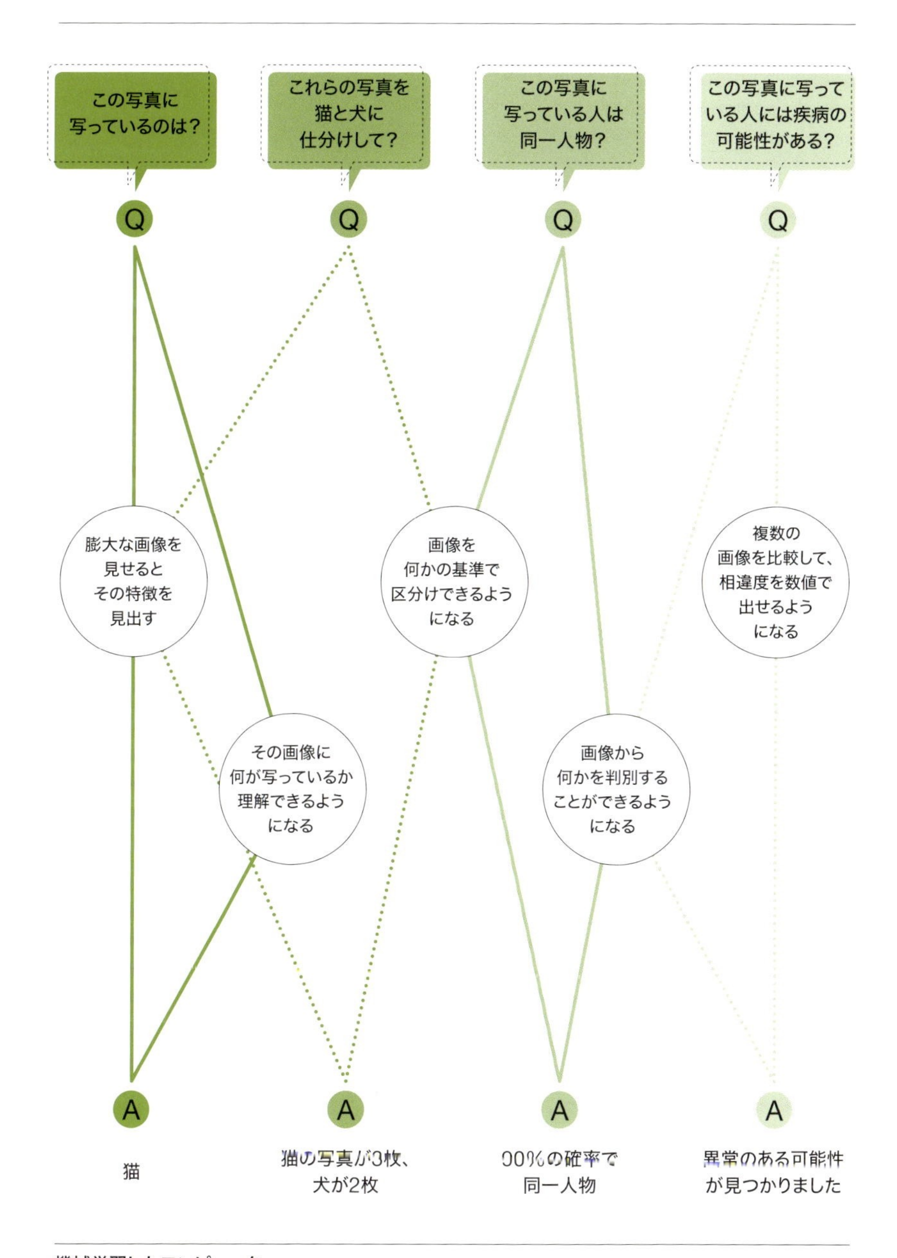

機械学習したコンピュータ

たとえば、ニューラルネットワークを使って画像についての機械学習を行ったコンピュータは、写真に何が写っているのか、写っているものが何に分類されるものなのかなどを判別できるようになる

画像認識コンテストで
ニューラルネットワークが席巻

画像認識の精度を競う「ILSVRC」

「ImageNet」という名称で、国際的な画像認識のコンテストが定期的に開催されています。正式には「ImageNet」とは米スタンフォード大学が開発した画像データベースのことで、大会名は「ILSVRC」(ImageNet Large Scale Visual Recognition Challenge)です。

コンテストの内容は、コンピュータによる物体認識(画像認識)の精度を競うものです。コンピュータに画像を認識させて、その画像には何がどのような状況で写っているかを判別させる精度です。約200カテゴリーに分類された多数の画像が出題されます。

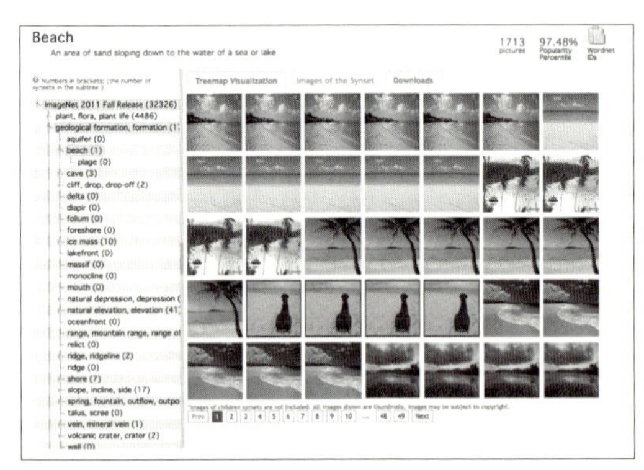

ImageNet 画像データの例▶研究用途で利用可能な画像データセットがWebで公開されている

ILSVRCの設問例

Ex. ► Question of ILSVRC

1

写真に写っているものをコンピュータが判別する。フルート、マッチ、アシカ、イチゴなどが正答となる

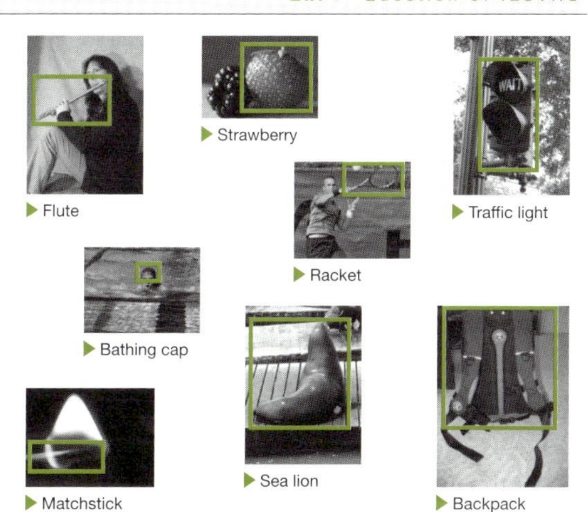

2

写真に写っている複数のものの境界線を識別する。どこからどこまでがライダーで、どこがオートバイの範囲なのか、人間は一瞬で識別できることもコンピュータでは難しい

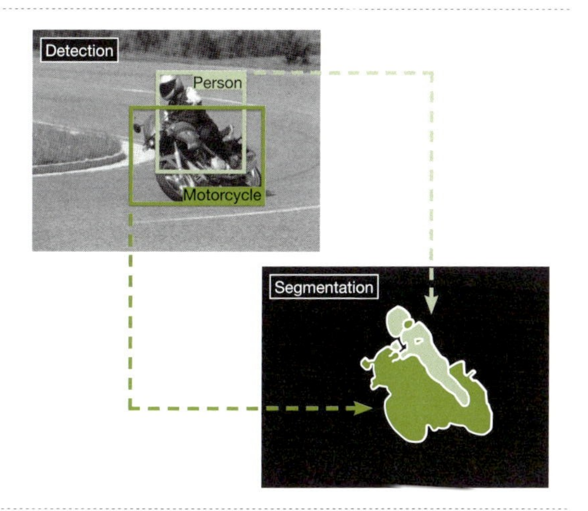

3

これらをこなすと、写真に写っている複数のものを識別できるようになる。どこに何人の人が写っていて、犬が手前に写っていることなどをコンピュータが判別する

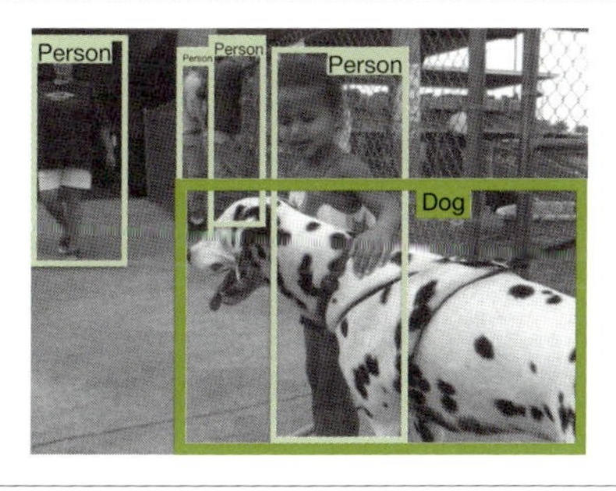

「ILSVRC」で起こった革新的な事件

何が写っているかの回答を間違う率を「誤回答率」や「エラー率」と言います。2012年、この大会において、トロント大学のジェフリー・ヒントン教授率いるチーム「スーパービジョン」により作成された「Alex Net」が、エラー率で2位以下を10%以上も引き離して優勝したことに注目が集まりました。それまではせいぜい26%程度のエラー率で、そのエラー率も毎年少しずつ精度を上げてきた結果だったのですが、「Alex Net」はエラー率16.4%と、前回の最高結果を一気に9%以上も向上させたのです。これは圧倒的な強さです。そしてそれは「ディープラーニング」による機械学習の成果だったことがわかったのです。

この出来事は人工知能の研究者や機械学習の開発エンジニアを奮い立たせるのに十分でした。エラー率16.4%は6枚に1枚は間違ってしまう割合ですが、ディープラーニングを採用したシステムの登場によって毎年記録は更新され、2014年の「Google Net」は誤回答率6.7%という驚異的な数字で優勝を果たしました。他の上位チームもディープラーニングを採用したものばかりに変わり、まさに席巻したのです。

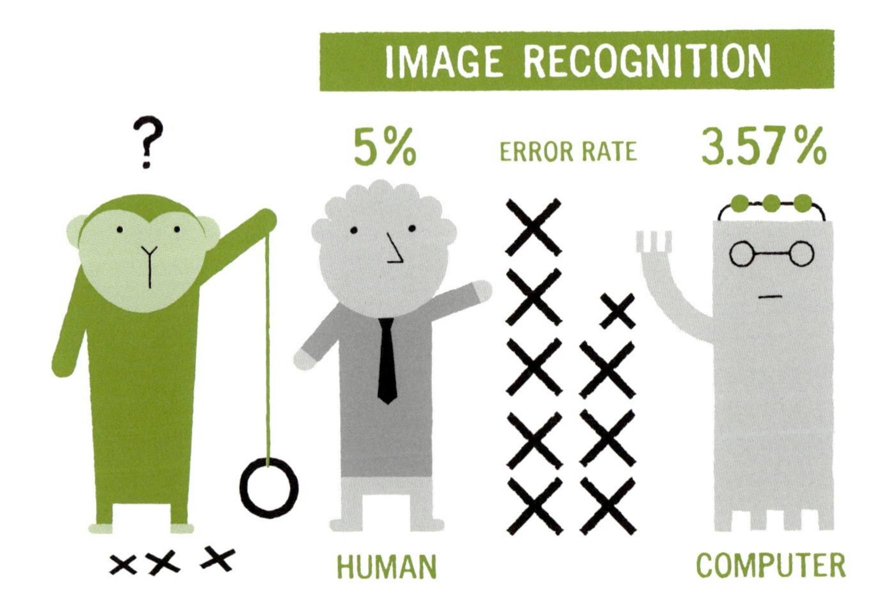

人間の認識率を超えた「Res Net」

そして2015年、Microsoftの「Res Net」(Residual Network) は、エントリーした5部門すべてで1位を獲得する快挙を成し遂げ、誤回答率は3.57%に達しました。人間の誤回答率は5%前後と言われていますので、「ディープラーニングによる画像認識技術は人間の認識率を超えた」とまで言う人さえ現れました。

なお、ディープラーニングは画像認識だけでなく、音声認識の世界でも成果を挙げました。2016年10月、Microsoftが音声認識の単語誤り率が5.9%を記録したことを発表しました。ニューラルネットワークと機械学習を組み合わせたシステムを用いて、従来は10%程度だった単語誤り率の記録を、大幅に塗り替えたことになります。

その記録を塗り替えたのが、IBM Watsonで知られるIBMです。2017年3月には、最新の音声認識テストで単語誤り率5.5%を記録しました。

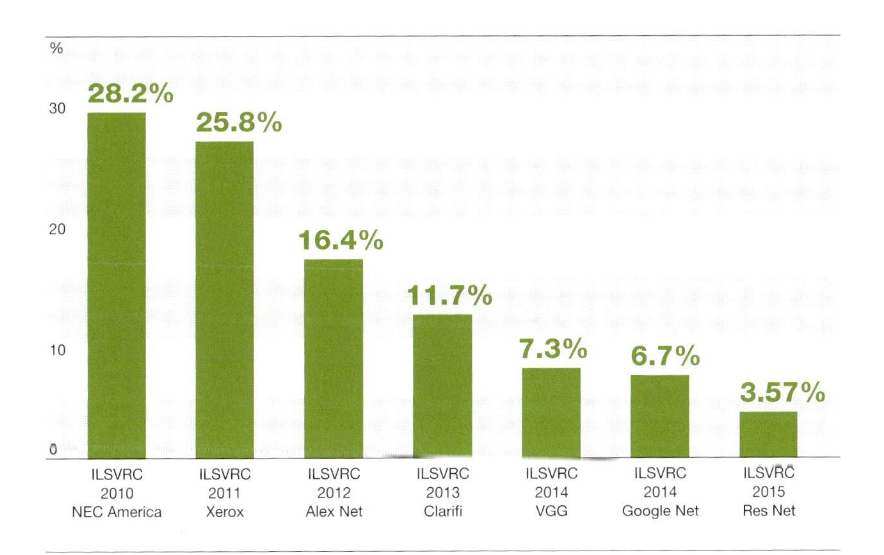

ILSVRCのエラー率の推移

2012年、Alex Netがディープラーニングを使った機械学習を採用し、エラー率が一気に低くなった。以降、瞬く間に認識率は進化を遂げて、2015年にはRes Netが3.57%という驚異的な結果を出した

データが多いほど学習の精度が上がるニューラルネットワーク

コンピュータに経験を積ませるニューラルネットワーク

従来のコンピュータは、「猫」と「犬」の違いをプログラムで定義しなければ判別できませんでした。同一人物かどうかを判別するのにも、その手順を細かく定義する必要がありました。顔の違いなんて膨大なパターンがありますから、そこから精度の高いプログラムを技術者が定義すること自体が難儀です。

では仮に、子どもに「猫と犬の違い」の見分け方を「言葉」で説明してみてください。上手くできませんよね。きっと「写真を見せたほうが早い」と思うはずです。すなわち、私たち人間は言葉で説明できなくても、写真や実物を見た経験から猫と犬の違いを理解して、判別することができています。それと同じこと（似たようなこと）がニューラルネットワークを使うとコンピュータでも実現できるようになったということなのです。

「私たち人間は、猫と犬を判別できる」とは言っても、それは日常生活で猫や犬を見る機会が多かったからではないでしょうか。猫や犬がいない地域の子どもは犬と猫の判別はできないかもしれません。私たちもハトとスズメの違いはわかるけれども、スズメとモズ、カッコーとモズの違いは誰でもわかるとは限りません。つまり、どれだけ見てきたかの経験が重要なのです。

一般の人には見分けがつかない、似ている動物や植物の違いも専門家は一発でわかる、なんてこともありますよね。インパラとガゼルは一般の人には区別しにくいですが、専門家は何度もそれらを見たり観察したりして、その「特徴」を学習しているから、ひと目で区別ができるのです。

ビッグデータが学習量を増やし、精度を向上させる

ニューラルネットワークでは、これが機械学習にも当てはまります。画像の判別であれば、多くの画像データを与えれば与えるほど判別する精度が上がるのです（一般論として）。

「ビッグデータと呼ばれる膨大な情報をどれだけ持つかが企業の価値になる」といった記事などを目にしたことがあるかもしれません。ニューラルネットワークにおいては、実際にデータは多ければ多いほど学習量も多くなり、その結果、精度の高いものに成長させることができます。

ゲームを学習して上達するDQN

子どものように自律学習するDQN

Googleは、2013年12月に7社ものロボット関連企業を買収しました（現在は、同社のロボットへの興味は薄れたようです）。それに続いて翌年の1月に、人工知能の開発ベンチャー企業であるDeepMind Technologies（ディープマインド・テクノロジー）を買収しました。ディープマインド社は古いテレビゲームをコンピュータにやらせました。「ブロック崩し」や「スペースインベーダー」、「ピンボール」など、ATARI社の49種類のゲームをコンピュータ「DQN」（人工知能システム）にプレイさせたのです。このときの注目点は「ゲームのルールをコンピュータには教えなかったこと」です。遊び方を知らない無料のゲーム台の前に子どもを座らせて、好きに遊ばせた、といったところです。子どもならきっと、説明書や攻略本がなくても、ゲームをやりながらルールを覚えていくに違いありません。

このDQNはまさに子どもと同様に、遊びながらルールを覚え、上手にこなすようになり、高得点を得る方法を自律的に学習したのです。たとえば「ブロック崩し」では、最初は落ちてくるボールをラケットに当てて跳ね返すことすらわかりません。しかし、あるとき、ボールが偶然ラケットに当たって跳ね返り、ブロックに当たって「得点」になります。そのとき、DQNは初めて点を得ることを体験します。これをAIの専門用語で「報酬」と呼びます。報酬を得ることが目的だと定義すれば、AIはゲームの得点、すなわち報酬を得るには何をすればよいのかを自律的に学習しました。ラケットを動かしてボールを跳ね返すとブロックに当たって報酬が得られると理解し、上手に跳ね返す動作をするようになったのです。

Alpha GoにつながるDQNの改良

ブロック崩しには、上級者が使う高得点を得る技があります。ブロックの一部を縦方向にだけボールを当てて開けていき、ボールをブロックの裏側に通す方法です。ブロックの裏側からボールが当たると通常より高い得点が得られるということをDQNは自分で理解し、それを行うようになりました。

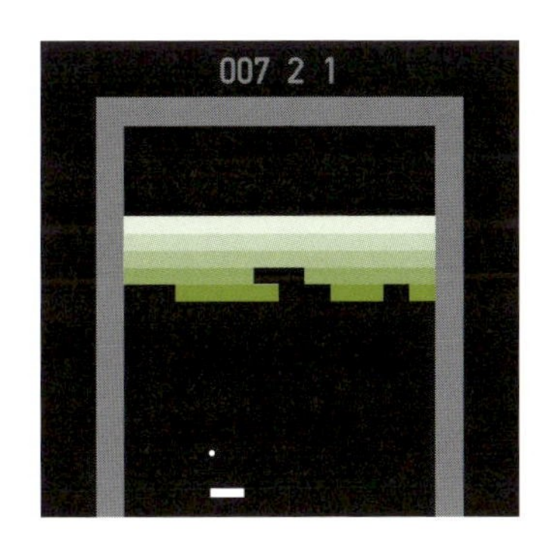

DQNがプレイしているところ
ブロック崩しゲームをプレイするDQN。最初はルールすらわからなかった

DQNは高得点を出す方法も見出す
ブロックの裏側から崩すと高得点が得られることをDQNは発見し、高得点を狙うようになる

報道によれば、DQNとゲーム上級者が対戦したところ、ブロック崩しでは人間の13倍の高得点を挙げました。また、49種類のうち29種類で上級者と同等、またはそれ以上のスコアを記録しました。人間が教えなくてもやり続けるだけでゲームのルールを理解し、高得点になる裏技も発見し、ゲームによっては上級者よりも高得点を挙げることが実験でわかったのです。

このDQNはさらに改良され、数年後、「Alpha Go」（アルファ碁）となって囲碁で上級者を負かすことになります。

人間を破ったAI「Alpha Go」(アルファ碁)

「AI」を表舞台に押し上げた衝撃的な一大事

2016年3月9日、囲碁用に開発されたGoogleグループのコンピュータ(AI)に、著名なプロ囲碁棋士が敗れるという一大事が起こりました。ニュースによっては「ついにAIが人類を超えた」などと煽った見出しが躍りました。普段は囲碁をしない人、無関心な人、またICT業界とも無関係な人たちも、このニュースに注目しました。政治家までが「人工知能の開発が次世代のキーワード」などと発言し、まるで人工知能が明日にも社会を席巻するような印象を与えました。実際、この一大事が「AI」を一気に表舞台に押し上げたのです。

囲碁でAIが人間に勝利することは、たしかに衝撃的な出来事です。というのも、囲碁はチェスや将棋と比較すると着手数が多いため、コンピュータが人間に勝つにはまだ10年以上はかかるだろうと言われていたからです。その囲碁において、開発をはじめてわずか数年のコンピュータが世界的な実力者を破ったのですから、ICT業界からも驚きの声が多数上がりました。

「人間とコンピュータの頭脳対決」という触れ込みで注目されたこの対局で対戦したのは、Google傘下のディープマインド社が開発したAIシステム「Alpha Go」(アルファ碁)とプロ囲碁棋士のイ・セドル氏です。「最強の棋士」と言われているイ・セドル氏は韓国棋院所属の九段で、国際棋戦優勝十数回などの実績を持っています(世界大会の優勝回数では2位)。この対戦のドキュメンタリーが、『アルファ碁』というタイトルで映画化されており、詳しい舞台裏も見ることができます。

プロ囲碁棋士 vs Alpha Goの五番勝負

初日は３時間半の熱戦の末、Alpha Goが勝利しました。Alpha Goはそれまで何度か人間の棋士に勝ってきましたが、著名なプロ棋士に勝利したのは初めてだったので、驚きをもって報道されました。実況中継の解説者や囲碁の実力者たちがこの対局を見守っていましたが、彼らが首をかしげるような独特の手をAlpha Goは何度か打ち、いつの間にか戦局を優位に進めていました。また、囲碁の定石ではタブーとされるような手や、唐突で意表を突く手も交えて攻めました。実況解説者が「Alpha Goのミス」と評した手が、数手先に進むと効いてくるということもありました。第１戦を制したAlpha Goは、全５戦の結果でも４勝１敗と勝利しました。イ・セドル氏は初戦から３連敗を喫してしまい、４日目に勝利したものの、すでに五番勝負では負けが決まっていました。

注目の知能戦イ・セドル氏 vs Alpha Go ▶ Alpha Goとイ・セドル氏の対局のようす。AIと実力者の対決は世界中から注目が集まった（YouTube動画より）

日付	Alpha Go	プロ囲碁棋士
3月9日	○	×
3月10日	○	×
3月12日	○	×
3月13日	×	○
3月15日	○	×

プロ囲碁棋士 vs Alpha Go 五番勝負結果
3月15日、韓国棋院はAlpha Goに対してプロの名誉九段を授与した

囲碁では人間が勝つと言われていた理由

直感や目算が重要とされる囲碁

コンピュータは、チェスや将棋では名人級の人たちと対戦して勝利してきた実績がありましたが、囲碁棋士界の有識者の多くは「コンピュータは囲碁では勝てない、その理由は“囲碁の人間性”にある」と主張していました。ICT業界の有識者もまた、「いずれはAIが勝つ日が来るだろうが、まだまだ先のこと」と予想したにもかかわらず、その予想よりもはるかに早くAIが成長（もしくは進化）し、実戦で大きな成果を挙げたことを示しました。

実際に、チェスと囲碁ではルールや勝つための要素が大きく異なるため、人間の思考のほうが有利であるとされてきたのです。

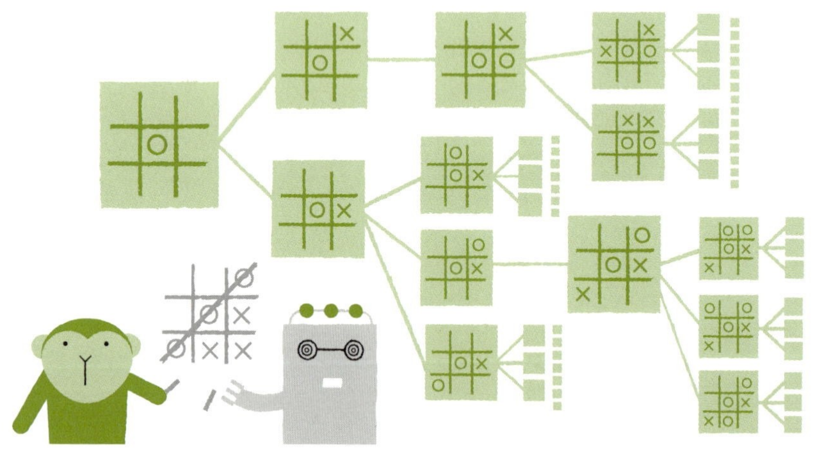

無数にある手を学習▶ Alpha Goが囲碁の手を学習していくイメージ

コンピュータが囲碁で人間に勝つ難しさを、当時チェスで人間に勝利したディープ・ブルーの開発者であるIBMのメンバーのひとりも「チェスはパターンを読むことが重要だが、囲碁は直感や目算が重要とされる」と語っていました。

打ち手の数も大きく異なります。一説によると、チェスの最初の二手の着手数は400通り、将棋は900通りですが、囲碁は129,960通りもあると言われています。それほどに囲碁の打ち手は複雑で膨大な数にのぼります（囲碁の着手数は10の360乗という説もあります）。

大量のデータ処理による洞察が定石を覆す

コンピュータが得意なことと言えば、膨大な計算を苦にしない、ミスをしないことです。その延長線上で考えると、「名人のやり方をたくさん詰め込んで、たくさんの手に対する定石を登録したのだろう」と推測しがちですが、それでは腑に落ちない点があります。

それは、今回の対戦でAIが打った手の良さを、実況の解説者さえ一見して気づかなかった点です。すなわち過去に例を見ない、定石を覆すような一手をAlpha Goは繰り出して勝利しています。すなわち、単なる名人の模倣ではないことを証明した点も、大きな驚きだったと言えます。

ディープマインド社の最高経営責任者（CEO）のデミス・ハサビス氏は、ワイアード誌の取材に対して「Alpha Goは人間のプログラミングによって設計された単なるエキスパートシステムではない」「一般的な機械学習のテクニックを使い、どうやって囲碁の試合に勝つか学んでいく」「AIは人間よりはるかに大量のデータを処理し、物事をより効率的なやり方で構造的に洞察することができる。これは人間の専門家にはできないかもしれない」と答えています。

では、ディープマインド社はどのようにして、囲碁において人間に勝利するコンピュータをつくり上げたのでしょうか。

Alpha Go が強くなったプロセス

キーワードは「ディープラーニング」（深層学習）と「強化学習」

Alpha Go のシステム構成は、1,202 基の CPU と 176 基の GPU で構成されているコンピュータとも、4 基の CPU と 8 基の GPU を搭載したコンピュータを 50 台で編成したとも言われています。いずれにしても桁違いの計算能力であることは確かですが、Alpha Go の勝利はハードウェアのパワーだけに頼ったものではなく、むしろ注目すべきは、最新の「ニューラルネットワーク」や「ディープラーニング」の技術を導入して勝利したことでした。それまでのエキスパートシステムとはまったく異なるアプローチで強くしていったのです。そのキーワードはまさに「ディープラーニング」（深層学習）と「強化学習」です。

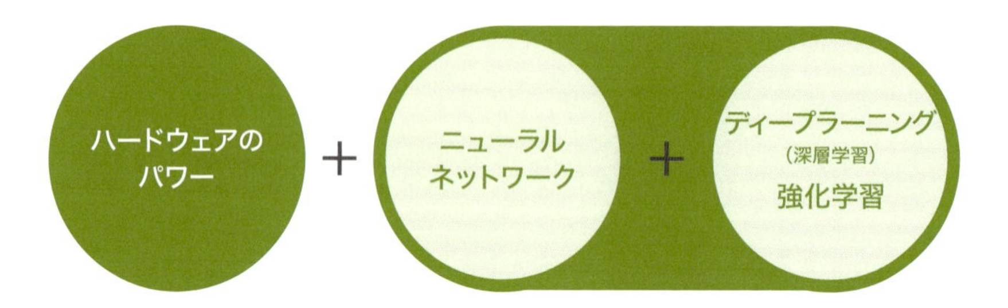

ディープマインド社の DQN がそうであったように、Alpha Go もまた、囲碁のルールすら知らないと言われています。正確に言えば、人間によるプログラミングを通して囲碁のルールを組み込まれてはいないということです。囲碁のルールや定石、勝ち方を人間が入力して教えたのではなく、過去に行われた膨大な数の囲碁棋士による対局の記録（棋譜）、膨大なビッグデータを自律学習させることで、Alpha Go 自身が自分を強力なシステムにつくり上げたのです。

「ディープラーニング」を可能にしたビッグデータ

開発者はまず、インターネット上の囲碁対局サイトにある3000万手におよぶ膨大な棋譜データをAlpha Goに読み込ませました。最初は人間がAlpha Goに対して、通常の棋士が打つ次の手を教えたのです。これは考え方においてはエキスパートシステムと同様のアプローチとも言えます。しかし、3000万手ものデータについて、それが良い手なのか、悪い手なのかを人間がプログラムのコードを書いて定義するのは不可能に思えます。少なくとも長い期間が必要になってしまいます。

そこでニューラルネットワークの技術「ディープラーニング」を使います。いわば、人間の脳のしくみに近い方法で打ち手を学習する方法です。ただ、Alpha Goは、次の手によって盤面の状況が変わったことはわかりますが、囲碁のルールを知りません。そこでDQNと同様に「得点」という考え方を使います。人工知能研究では「報酬」と呼ぶことを思い出してください。

たとえば、ゲームをクリアしたら得点がもらえる、何秒以内にクリアしたらさらに得点がもらえる、特別な技を使ったらさらに高い得点がもらえる、といった「高得点を目指す」という概念です。人間もテレビゲームをするときに高得点を意識するのと同様に、より高い得点を得るという目標を与えることで、コンピュータは得点が良くなる方法や手段を自ら学習するのです。囲碁の場合は、最終的に相手より多くの陣地をつくって勝てば得点がもらえるということに尽きます。

実はディープラーニングのしくみ自体は昔から知られていましたが、コンピュータで実用化するには、コンピュータの計算能力が低い、コンピュータが学習するための膨大なビッグデータがないという課題があり、とうてい実現できるものではなかったのです。

インターネットやクラウドのない時代には、3000万手もの棋譜のデジタルデータを用意することはできなかったはずです。サーバーやクラウド、ビッグデータ時代の到来によって、ディープラーニングの時代もやってきたのです。

コンピュータ同士の「強化学習」

こうして時代に後押しされ、ディープラーニングで学習したAlpha Goでしたが、さらに精度を上げて、それ以上強くなるためには、3000万件の打ち手では足りなかったのです。しかし、もうこれ以上、有効な棋譜データはありません。

そこで次に開発チームが行ったのは、コンピュータ同士の対局によるトレーニングです。コンピュータ同士であっても、対局によって経験値とも呼べるデータが新たに生み出されて蓄積されます。同じシステムで対局すると新たな打ち手の創造が生まれにくいため、他流試合のように、異なる囲碁AIシステムと対局させたり、同じ囲碁AIシステムであっても異なるバージョンと対局させたりすることで違ったパターンの局面をこなす、すなわち数をこなすトレーニングを繰り返し行ったのです。有利に進めたり、勝利したりすれば報酬が得られます。人間と違ってコンピュータは疲れないので、延々と対局を繰り返し、学習・経験を蓄積していきます。コンピュータは3000万「局」の経験を積んだ結果、世界レベルの囲碁AIへと成長したのです。このような機械学習の方法を「強化学習」と呼びます。

技術的にAlpha Goで注目したい点は「ディープラーニング」(深層学習)と「強化学習」を組み合わせたことです。強化学習とディープラーニングについての詳細は後述しますが、ディープラーニングが今日の「AIブーム」を生み出したブレイクスルーの技術であり、それはAlpha Goの勝利によって大きくクローズアップされたのです。

Key Word

☑ **機械学習**

コンピュータに学習させるしくみやアルゴリズム

☑ **ニューラルネットワーク**

人間の脳の機能に似せて、コンピュータ上でシミュレーションを行う
数学モデル、またはアルゴリズム

☑ **ディープラーニング(深層学習)**

ニューラルネットワークによる機械学習の手法のひとつ。
多層で深く考えることによって特徴量を見出す技術やアルゴリズム

汎用人工知能（AGI）と特化型AI

まだどこにも存在していない「人工知能」

Alpha Goの勝利によって、大きく人工知能（AI）が注目され、一部では「人工知能が人間を超えた」とか「人工知能が人類を超える日が近い」といった表現まで飛び出しました。しかし、ここで勘違いしてはいけないのは、勝利したのは、Alpha Goを開発し、効果的に機械学習させ、有力者に勝つまでに育て上げたエンジニアたちだということです。一般の人々がイメージしている「人工知能」はまだどこにも存在せず、その実現にはまだまだ時間がかかるのです。

Googleが囲碁に対して行ったAlpha Goにおける機械学習のアプローチは成功し、ディープラーニングや強化学習が革新的な成果を挙げたことは紛れもない事実です。ここで正確に理解しておきたい点は、Alpha Goは人工知能ではなく、囲碁用に開発されたコンピュータだということです。そして、その技術に「ニューラルネットワーク」（ディープラーニング）という「AI関連技術」が使われていることです。

ニューラルネットワークは前述のとおり、人間の脳の機能を真似たモデルで、人工知能を実現するためのひとつの手法と考えられています。だから「AI関連技術」と呼べるのであって、ニューラルネットワークが人工知能なのではありません。すなわち、Alpha Goは人工知能ではなく、AI関連技術を使って機械学習した高性能コンピュータなのです。

明らかに異なる「汎用型AI」と「特化型AI」

「人工知能」とは英語で「Artificial Intelligence」、すなわちAIの日本語訳です。なかでも多くの研究者がゴールとして目指している人工知能（AI）は、「人間と同様の知能を持ったコンピュータ」で、「AGI」（Artificial General Intelligence）と呼ばれています。「知能を持つ」ということは具体的にどういうことかという点にも言及する必要がありますが、ここでは割愛して解説を続けます。研究者の間ではAGIを「汎用性の高いAI」としています。汎用性が高いというのは、ひとつのことではなく、さまざまな用途やシーンで活用できることです。人間の脳はさまざまなことに適応し、順応性が高いのは大きな特長のひとつですが、これが汎用性です。

SF映画やアニメーションなどでたびたび登場する「人工知能」、すなわち人々がイメージしている人工知能とは、人間と同じように汎用的な知識や知恵を持ったコンピュータであり、存在でしょう。研究者はこれを実現したいと考えていますが、このような「汎用型AI」の登場はまだまだ遠い未来のことです。

一方、ある特定の分野において知的な機能を有するものを「特化型AI」と呼びます。Alpha GoもAIだとすれば特化型AIになります。このように学術的には汎用型AIと特化型AIは明らかに分けられる、まったく別物なのですが、「AI」という言葉で混同してしまうと、あたかも汎用型AIが囲碁をやって人間にも勝てるようになった、他のことでも人間より優れた知能を発揮するのではないかと誤解されてしまいます。

「これらにAIだという言葉を使うべきではない」という意見もありますが、筆者の考えは少し異なります。ニューラルネットワークが使われているシステムや製品には、「AI」という言葉を使うことは構わないと思っています。ニューラルネットワークはAI関連技術のひとつだからです。しかし、メーカーによってはニューラルネットワークを使っていない製品であっても、「知的に感じるから」「今までより頭がよいから」「自律的に学習するから」といった抽象的な理由で「人工知能」（AI）というキーワードが使われることがあり、これには絶対に反対です。

人間の脳とコンピュータのしくみは似ている

ニューラルネットワークによるディープラーニング

ここまで、AI関連技術として注目されている「機械学習」について解説してきました。機械学習とは文字通り、人間が学習するのと同様に、機械に訓練データを使って学習させることです。この考え方や手法自体は以前からあるものですが、「AI」が急に注目されてきた理由は、この機械学習の分野で、「ニューラルネットワーク」を使った「ディープラーニング」が驚異的な成果を挙げるようになったためです。

では、ニューラルネットワークによる機械学習やディープラーニングとはどんなものでしょうか。

ニューラルネットワークとは前述のとおり、人間の脳の構造、ニューロンを使った情報処理を模倣した数学モデルです。数学モデルというのは聞き慣れないと思いますので、ここでは考え方や理論、実体としてはソフトウェアの一種として考えると理解しやすいと思います。

では、人間の脳の構造やしくみを、コンピュータ（ソフトウェア）で模倣するというのはどういうことなのでしょうか。「まったく違うものでしょう？」と多くの人は感じると思います。

ところが、実は人間の脳とコンピュータのしくみには共通する部分も多く、人間の脳の神経細胞の数とコンピュータのトランジスタの数を比較することにまったく意味がないとも言えないのです。

人間の脳のしくみ

共通のパターン認識による情報処理

人間の脳のしくみはまだ完全には解明されていません。少しずつわかってきたこととしては、脳自体はすごい計算や認識能力を持っているわけではなく、300億を超える膨大な数の神経細胞（ニューロン　Neuron）がさまざまに結合し、情報を伝達・処理することで、記憶したり考えたり、モノを判別したり、会話したりしているのではないかということです。

脳は神経細胞の巨大なネットワークだと言われています。ネットワークを構成しているニューロンは無数にあり、その数は100億～300億個超という説もあります。神経細胞の役割は情報処理と、他の神経細胞への情報伝達（入出力）です。他の神経細胞へは神経伝達物質によるシナプスの結合によって情報の伝達が行われ、記憶や学習など知能的な処理を行っています。

「たったひとつの学習理論」（One Learning Theory）という脳科学における仮説によると、脳はさまざまな機能を持っているように思えますが、実は共通のパターンを認識して処理しているとされています。詳しくは脳科学の専門書をあたってほしいのですが、ごく簡単に説明すると、人間はモノを見たり聞いたり、会話したり、何かを感じたり、感情を抱いたり、回答を考えたり、推測したり、さまざまなことをこなしているので、脳にもそれぞれに適した構造の部位があって、複雑な処理をしているように想像します。しかし、実は脳の内部では、すべて同じパターン認識によって情報処理されているという理論なのです。

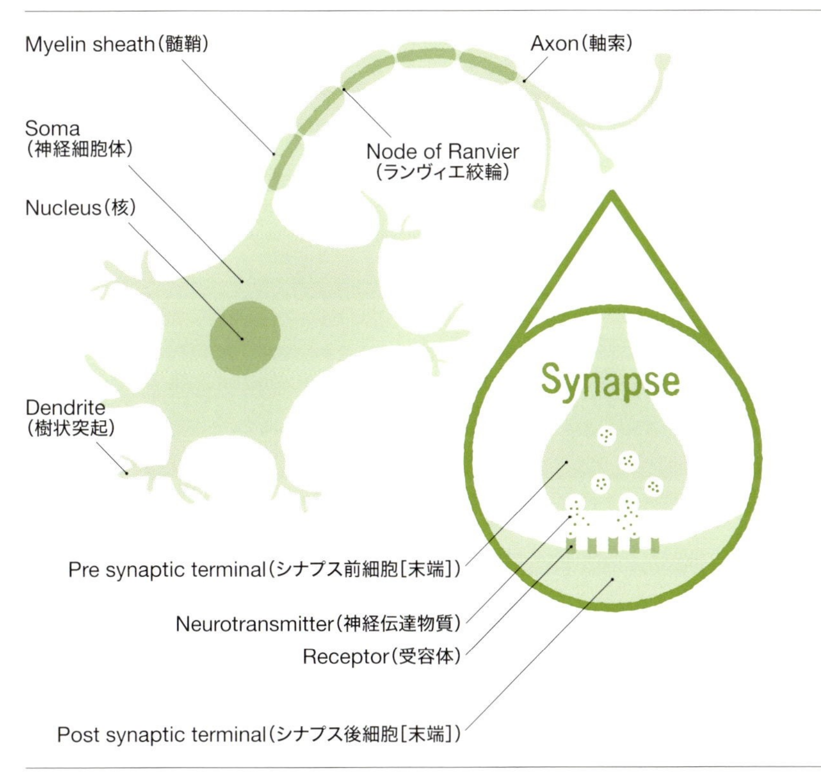

神経細胞（ニューロン）の構造図解（参考）
樹状突起（Dendrite）、神経細胞体（Soma）、核（Nucleus）などで構成された神経細胞（Neuron）と、神経伝達物質（Neurotransmitter）によるシナプスの結合（Post synaptic terminal ／ Pre synaptic terminal）を表した図解。脳は神経細胞の情報伝達による共通のパターン認識と処理によってすべての能力をこなしているという理論がある

脳とコンピュータの類似点

人間の脳は複雑なものに思えますが、単純に表現してみると、膨大な数のニューロンの間を電気信号で情報を伝達するだけで、モノを識別したり、考えたり、記憶したり、記憶したことを思い出したり、話したり、理解したりといったいろいろなことを実現しているとも言えます。つまり、ニューロン間の電気信号の「オン」か「オフ」、「0」か「1」で情報を伝達しているので、「0」と「1」で情報をやりとりしたり、表現したりするコンピュータ（トランジスタ）の構造に似ているのです。

ニューラルネットワークの基本

ニューラルネットワークのしくみ

ニューラルネットワークは、脳のしくみを単純化して、ソフトウェアで再現するものです。脳のニューロンにあたるものをソフトウェア上で再現したものを「形式ニューロン」や「ノード」と呼び、それらを配置します。ソフトウェアは手順通りに実行されますので、構造上は情報を入力するための形式ニューロンを設けます。これを「入力層」と呼びます。情報を受け取った形式ニューロンは、情報を自分なりに処理をして、その結果を別のニューロンや次の層のニューロンに伝達します（ここではしくみだけを理解することを優先してください）。

情報を受け取った別のニューロンは自分なりの処理を行った上で、また別のニューロンに情報を伝達します。情報は次の層へと受け継がれ、やがて「出力層」にその結果を伝達します。この処理の過程で、情報について「特徴」（特徴量）が算出されます。そして、その特徴量から何らかの処理結果を出力するしくみが「ニューラルネットワーク」の基本です。「何らかの処理結果」とは曖昧な表現ですが、ニューラルネットワークに与えられた目的によって異なります。それは、モノの認識であったり、分析や予測であったり、会話であったりするのです。

入力層（感覚層）と出力層（反応層）

コンピュータでは、単純化した模式図として次ページの図がよく用いられます。最も単純な形態は「入力層」と「出力層」のみです。入力された情報に対して、まず入力層にある多数のニューロンが情報を処理し、その結果を出力層のニューロンに伝達し、出力層で判断を行って回答を出力するというものです。

入力に対してどう反応するかが出力となります。人間で言えば、手をつねられたら(入力)、手を引っ込める(出力)というようなことです。これらは脳の機能に基づくため、入力層は「感覚層」、出力層は「反応層」と呼ばれることもあります。

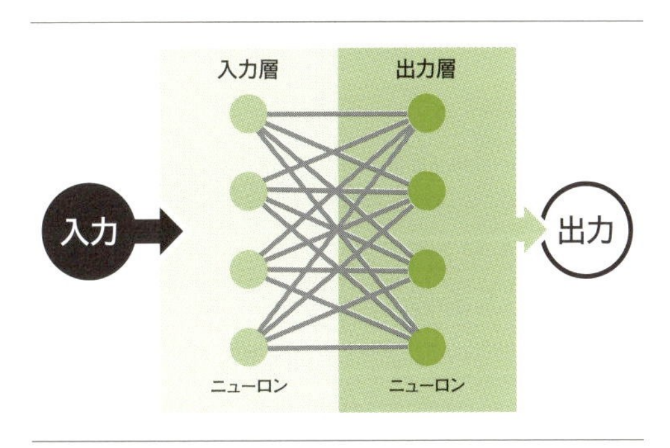

ニューラルネットワーク　入力層－出力層
●は形式ニューロンやノード。入力された情報は、入力層の無数のニューロンが処理して別のニューロンに伝達し、出力層の無数のニューロンが処理した結果を出力する

中間層（隠れ層）

脳は感覚的な処理だけでなく、モノを識別したり、計算したり、考えたり、記憶を呼び覚ましたり、いろいろな働きをしています。ニューラルネットワークでは、複雑な情報を処理するのに、入力層と出力層の間に「中間層」を設けます。中間層を「隠れ層」と呼ぶ場合もあります。中間層があることで、処理を行うニューロン群の層が増えます。すなわち、思考を深くするのです。入力層と出力層だけで構成されたネットワークより、入力層－中間層－出力層で構成されたネットワークのほうが中間層のニューロンが増えて、情報処理が増えた分だけ回答の確度が上がったり、汎用性の高い回答が得られたりすると考えられます。中間層がある場合、入力層は中間層にある多数のニューロン群に対して情報を伝達し、中間層のニューロンが処理して出力層のニューロンに伝達して処理します。

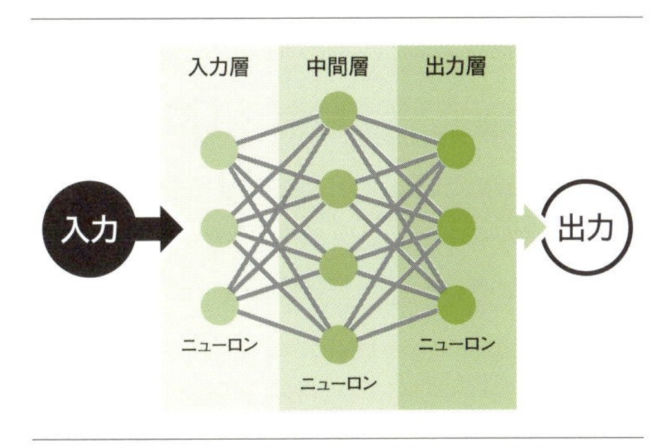

ニューラルネットワーク　入力層－中間層－出力層
入力された情報は入力層で処理し、その情報は特徴量を算出する中間層の各ニューロンに伝達、多数の処理を行った後、出力層の各ニューロンに情報を伝達して出力結果（回答）を返す。図は入力層一中間層一出力層の３層で、中間層は１層の場合を表している

ディープラーニング（深層学習）の「ディープ」の理由

では、入力層－中間層－出力層で構成されるニューラルネットワークで、思考をもっと増やすにはどうしたらよいでしょうか。

ニューロンの層を増やせばよいという発想があります。すなわち、中間層を２層にしてニューロンの層を増やすのです。１層よりもっと深く思考することになります。こうして中間層に多層のニューロン層を持つモデルを「ディープニューラルネットワーク」と呼び、ディープニューラルネットワークで機械学習することを「ディープラーニング」と呼びます。深く思考することから「深層学習」とも呼ばれています。

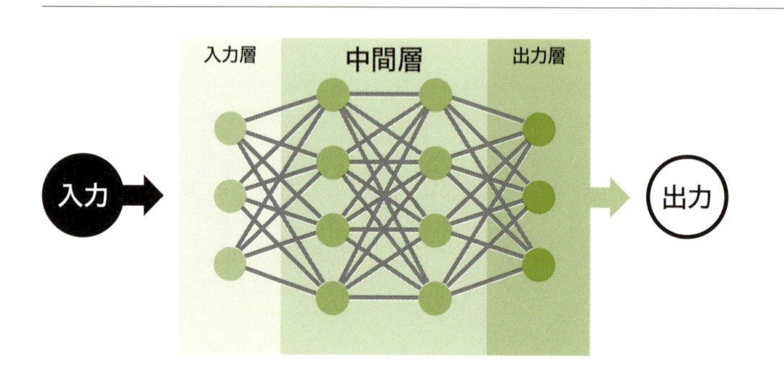

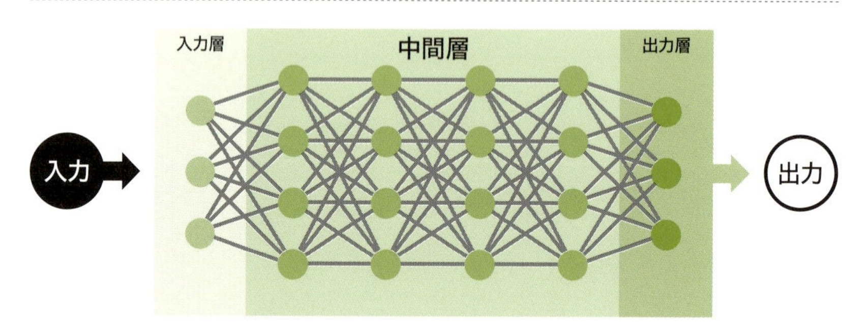

中間層を増やして深層化するディープニューラルネットワーク
ディープラーニングは、中間層を多層にしたディープニューラルネットワークで行う。ニューロンと層が増えることで、情報伝達と処理を増やし、特徴量の精度や汎用性を上げたり、予測精度を向上させたりする可能性がある。模式図の例では、上は中間層が２層、下は中間層が４層のディープニューラルネットワーク。実際には、中間層が 10 ～ 20 層の構成も多く使われる

ディープニューラルネットワークによる機械学習

一般に、中間層の数を増やし、よりディープな構造にしたほうが、特徴量の算出や予測計算の精度が上がる傾向にあります。しかし、模式図では形式ニューロンの数は数えられるほどですが、実際には膨大な数のニューロンがそれぞれの層に存在していて、層をひとつ増やすだけで計算処理の量は膨大に増えてしまいます。そのため、層の数を増やすほど、計算処理に要する時間は増えていきます。

また、現実的には、層の数を増やすほど精度が上がるというものでもありません。中間層の数を増やしすぎると精度が極端に落ちる場合があるので、データサイエンティストは業務に合わせて、最適な層の数を設定することも重要なのです。

「ディープラーニングはディープニューラルネットワークで機械学習すること」と解説しましたが、たとえば、コンピュータに「これは犬である」という正解（ラベル）を付けた大量の犬の画像を入力して解析させると、コンピュータは自分で特徴量を抽出して「犬」の特徴を学習し、この写真は犬かどうかを分類できるようになります。この作業がトレーニングであり機械学習です。こうして、犬や猫、人間などの画像を膨大に与えることでそれぞれの特徴量を学習し、さまざまなモノを認識したり、識別したりできるようになり、さらには、犬が何をしている画像である、犬がどこにいるなどの状態も把握できるようになります。

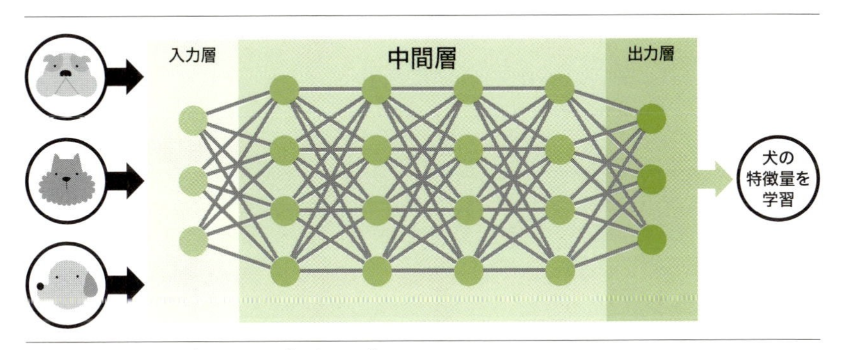

犬を学習するディープニューラルネットワーク
「犬」という正解（ラベル）を付けた犬の画像を大量にコンピュータに入力して学習させると、犬の判別ができるようになる。これがディープラーニングによる機械学習。正解付きデータで学習させる方法は「教師あり学習」と呼ばれる

カメラ映像とディープラーニング

マーケティングにも利用されるセキュリティカメラ映像

ディープラーニングはさまざまな分野のいろいろな活用方法で効果を発揮することがわかりましたが、最初に目に見えて効果が現れることがわかったのが「画像」の認識や識別です。ニューラルネットワークの解説で「犬」と「猫」を見分ける例を説明しましたが、同様に、画像から何かを見つけたり、画像に何が映っているのかを識別したりすることに長けているのです。

たとえばFacebookでは、ホームパーティなどで撮影した写真を投稿すると、写っている人物を解析し、友人と同一人物だと判断すると、その名前を写真にタグ付けする機能があります。これはディープラーニングを駆使して、写真の人物を解析したり比較したりする能力を強化した機能によって実現しています。

また、ある雑貨店が、店の前の通りを写すセキュリティカメラを設置したとします。一日中、店の前の通りを録画しているカメラは、万引きして逃げた犯人の姿を捉えることができるでしょう。しかし、現在のカメラや優れたAIの画像解析能力があれば、一日に店の前を通過した人数を正確にカウントすることができます。男女の性別や年齢も推測できます。表情をある程度読み取ることもできます。性別や年齢別にどのくらいの人数が店の前を通り、何人がショーウィンドウに目をやり、何人が足を止めて、何人が店のドアを開けて入ってきたのかもわかるのです。

今やセキュリティカメラは、万が一の犯罪の際に役立つだけでなく、マーケティングにも利用されています。

人間の認識率を超えたAIの画像解析能力

海外では、この技術を積極的に取り入れている国や街もあります。空港や街頭に設置したカメラの映像からは、このように膨大な情報を得ることができます。もちろんテロなどの特定の犯罪に関わる重要な人物を識別したり、犯罪者特有の動きなどを検知したりするシステムも開発されています。

ディープラーニング分野で最も急成長した「GPU」を開発・提供している企業NVIDIA（エヌビディア）は、同社のGPUとディープラーニングを使ったAI技術を導入したことで、監視カメラの認識技術や解析技術が圧倒的に向上したとしています。

NVIDIAは、市場予測として、2020年には世界中の監視カメラの数は10億台規模に急成長するとしています。その発展を支えているのはディープラーニング技術であり、雨天時のように視界の悪い天候でも認識率が低下せず、予測機能を持ったAI技術の発達にあるとしています。また、従来のコンピュータビジョン技術（コンピュータによる視覚を実現する技術）の画像認識率が74％程度であったのに対し、ディープラーニング導入時は97％まで向上し、通常の人間の認識率を超えている（2016年）と公表しています。

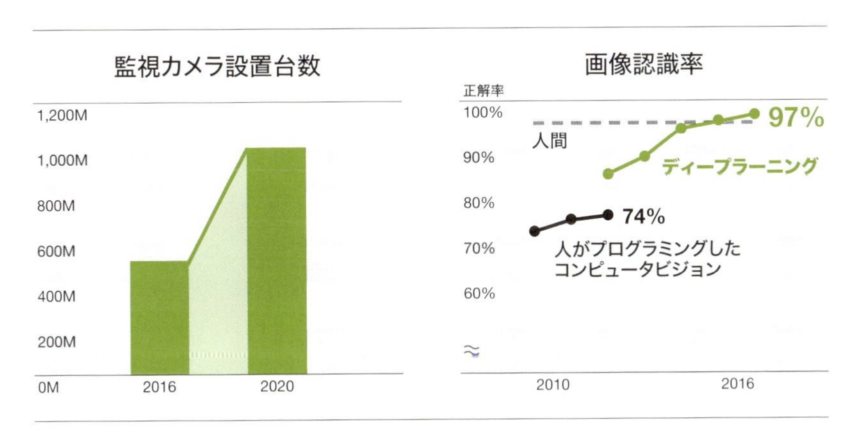

安全でスマートな街をAIが実現
（左）2020年には世界中で10億台の監視カメラが設置（1日あたり300億フレーム）
（右）インテリジェントなAIビデオ解析により人間の認識能力を超えた解析結果

目を持ったコンピュータ

「視覚」が広げるコンピュータの可能性

今までコンピュータや機械は精度の高い目を持っていませんでした。「知的な目」を持っていなかったという表現のほうが適切かもしれません。そのため、自動車や工場の自動化にあっても、何かを判断する頭脳と目は、人間の力が必要だったのです。

家庭にも自動化を遂げた電化製品はたくさんあります。テレビ、エアコン、冷蔵庫、洗濯機、電子炊飯ジャー、食器洗い機などです。しかし、それらは「目」を持っていません。もし目があれば、今よりどんなことができるようになるでしょうか。エアコンは暑そうにしている人に向かって冷風を送ることができるでしょう。洗濯機は落ちにくい汚れを見つけて、繰り返し洗ってくれるかもしれません。冷蔵庫は庫内の卵の数を数えてくれたり、牛乳がないことを教えてくれたりするようになるでしょう。

たとえば、耕運機が田畑を耕したり、稲を植えたりすることは、ずいぶん以前から自動で行うことができています。刈り入れもできます。しかし、「知的な目」を持たないので、田畑を走るルートの操縦は人間が行う必要がありました。耕運機も自動運転化が期待されています。ディープラーニングによって高度な判断力を持った耕運機は、センサーやマッピング技術、高精度なGPSと連携することで、田畑の形状に沿って自身でルートを判断しながら自動で走ることができるようになります。実際にヤンマーアグリは、位置情報やロボット技術などのICTを活用した自動運転トラクター「ロボットトラクター」の発売（2018年10月より）を発表しました。

AI 関連技術の開発に積極的なオプティムは、枝豆の栽培地をドローンで撮影し、害虫や病気があるところを AI が判別、必要な場所にだけドローンが農薬を散布するシステムを実用化しています。「ピンポイント農薬栽培」と呼ぶこの取り組みによって、散布する農薬の量を 90% 削減でき、農家のコスト削減につながるとともに、収穫時の残留農薬も激減しました。

このように、「目」とビジョン（視覚）によって得られる画像や映像を解析する能力を得たことで、機械の自動化は大きく進化しようとしています。自動運転車もそのひとつです。人間に近いスマートなロボットの実現にもこのようなビジョンと解析機能は必要不可欠です。それほどにディープラーニングによるビジョンの進化は、機械の進化にとっては良い意味でショッキングで、ブレイクスルーを生み出す出来事なのです。

言葉を理解するコンピュータ

「構造化」データと「非構造化」データ

コンピュータには人間の言葉が理解できるでしょうか？ ディープラーニングによってニューラルネットワークがブレイクスルーを迎え、画像の認識率でコンピュータが人間の能力を超える流れとは別に、もうひとつの進化が起こっていました。人間の言葉をコンピュータが学習し、意図を理解することへの挑戦です。

パソコンやスマートフォンなどが普及した現在、一般のユーザーがコンピュータで扱っているデータには大きく分けて2種類があります。

ひとつはコンピュータが理解できるように、構造的につくられた「構造化」データです。これはコンピュータが処理できるように、ルールに従ってつくられたデータのことです。身近なところでは、データベースや表計算のデータが挙げられます。パソコンの中に保存されている構造化されたファイルは、全体の何割くらいあるか想像したことがあるでしょうか。せいぜい2割程度と言われています。

もうひとつは、人間が読むためにつくられたデータです。これを「非構造化」データと呼びます。たとえば、ワープロで作成した文書、PDF、ホームページ、Facebook や Twitter の投稿などです。人間が読んで内容を理解したり解釈したりすることができる、人間が人間のためにつくったデータです。通常、これらはコンピュータにはその意図まではわかりません。しかし、もしもコンピュータが理解できるようになったら、コンピュータの役割が飛躍的に向上するのではないでしょうか。

日本IBMによれば、ある調査では世界中で蓄積されているビッグデータは、2020年までに44ゼタバイトくらいになると予測されています。「44ゼタバイト」とは440億テラバイト（TB）です。現在のパソコンで使われているHDDの単位が主にTBですから、1TBのハードディスク440億個分になります。しかも、そのビッグデータのほとんどは、文章、音声、画像、センサーデバイスなどから蓄積されたデータで、80%以上が構造化されていないデータだと言われています。

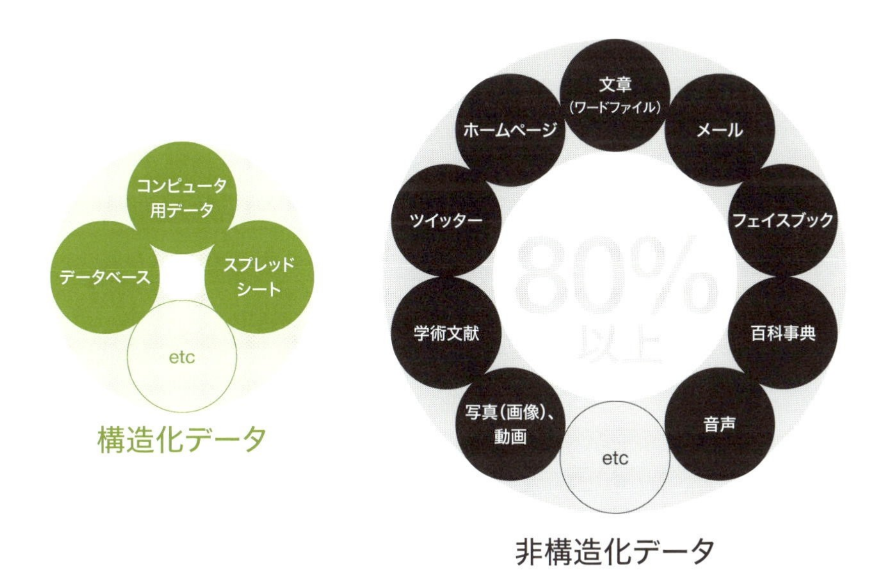

構造化されていないデータは人間が読めば理解できますが、読まなければその情報の内容に気づきもしません。膨大な情報が蓄積されたとしても、ほとんどが読まれなければ活用されることはありません。

英語や日本語、フランス語、中国語など、人間にも言葉の壁があり、それを乗り越えると、理解できる文章や会話が増えます。それと同様に、人間とコンピュータの言葉の壁は乗り越えることはできないのでしょうか。

壮大な目標への挑戦

IBMは「ディープ・ブルー」で人間のチャンピオンにチェスで勝利した後、次の目標として、クイズ王に勝利するコンピュータの開発を掲げました。これはとんでもない目標です。人間のクイズ王に勝つためには、人間の言葉がわからないと正解を答えることもできません。クイズの質問の内容、すなわち非構造化データを理解し、意図を解釈し、正しい回答を導き出さなければならないのです。

IBMはこの壮大な目標に挑戦するコンピュータに「Watson」(ワトソン)という名前をつけました。Watsonの名前の由来は、IBMの創立者であるトーマス・J・ワトソン氏です(1956年没)。「THINK」のモットーや標語で知られる、コンピュータ業界では最も有名な人物のひとりです。

その舞台には米国のクイズ番組「ジョパディ!」(Jeopardy!)が選ばれました。クイズ王たちがしのぎを削る人気番組です。Watsonはこの番組で2人のクイズ王とともにクイズ対決に挑みました。当時の技術者たちは「勝つことはとうてい無理だろう」と思っていました。

人間が日常的に会話や意思の疎通に使う言語を「自然言語」と呼びます。Watsonは他のクイズ参加者とともに、自然言語による設問を理解し、他の回答者より早くボタンを押して、正解を返さないといけません。

ジョパディ! の設問の例 Ex. ► Question by Jeopardy!

Q. スティーブンソンの『宝島』の悪役は誰?

A. ロング・ジョン・シルバー

Q. 親戚に「沸騰したやかんを1時間以上眺め続けるような子」と表現された発明家は?

A. ジェームズ・ワット

IBM Watsonがクイズ王に勝利

2011年2月16日、ついに歴史が変わりました。Watsonは他のクイズ王たちよりも多くのポイントを稼ぎ、クイズで人間に勝利したのです。コンピュータが自然言語を理解し、意図を解釈できるようになった「コグニティブ時代の幕開け」です。

多くのマスコミはこの偉業を「コンピュータが人間を超えた！」と報道し、煽りたてました。しかし、この表現は正しくありません。ひとつの雑誌だけが正しいことを言いました。それは……

> “Watsonは研究者たちの英知の結集だ。
> 「ジョパディ！」の勝者はWatsonを開発した「人間」たちである”

コンピュータはどれだけ進化しても、それをつくったのが人間である以上、勝利するのはコンピュータを開発した人間たちなのです。「人類vsコンピュータ」と報道や識者がいくら煽ったとしても、このポイントだけは見失ってはいけません。

IBM Watsonが勝利▶ IBM Watsonが最も多くの賞金（ポイント）を稼ぎ、ついに人間のクイズ王たちに勝利した（YouTube動画より）

1秒間に8億ページを読むコグニティブ・コンピュータ

米国のクイズ番組「ジョパディ！」でクイズ王と対戦してから半年後に、IBMはWatsonの商用化に着手します。この技術はどんなことに利用できるのでしょうか。そのひとつの解が医療分野です。IBMは大手医療保険会社の米ウェルポイント（WellPoint）と、医療分野での提携を発表しました。当時のニュースリリースでこのように述べています。

“近年、医療分野は他分野に比べて急速に成長しました。医師にとって、何十万件もの医学文献を診察に活用するのは非常に困難です。Watsonは書籍約100万冊（概ね2億ページ分）に相当するデータをより分け、情報を解析し、3秒以内に正確な分析結果を導き出すことができます。WellPointは、この驚異的な能力を活用することで、医師たちが個々の患者に応じてWatsonに読み込ませた医療データを参照し、困難な疾患であっても、最も確信度の高い診断や最適な治療法を特定するのに役立てたいと考えています。Watsonは、医療現場での意思決定プロセスにおける強力なツールとなると期待されています。”

この技術を使って、Watsonは医師や研究者、看護師、製薬関連など、医療に従事する人たちの質問に対して、最新で適切な答えを瞬時に提供するシステムを目指したのです。

Watsonは1秒間に8億ページの文献を読むことができるとされています。一方で、毎年発表される医療関連の資料は数十万件にものぼります。とうてい人間ではすべてを読むことはできません。手分けして読んだとしても、それを共有したり、データベースとしてコンピュータが扱えるように構造化したりするのは不可能に近い作業です。Watsonは医療関連の文献や論文など、毎年発表・発行される医療関連の資料をすべて読んで、最新の医療情報や知見としてデータを蓄積します。医師が適切な診断を行うために迷ったり、セカンドオピニオンを求めたりするとき、最新の医療論文やレアケースの情報なども Watsonは見逃さずに、新たな知見や発見を生み出すための情報やアドバイスとして提供します。

IBMでは、WatsonをAIや人工知能とは呼びません。「コグニティブ・システム」「コグニティブ・コンピューティング」「コグニティブ・テクノロジー」といったように使っています。「コグニティブ（Cognitive）」とは、直訳すると「認知」という意味です。知覚や記憶、推論、問題解決を含めた知的活動を指すとしています。人工知能やAIというワードの定義が曖昧であること、さらにこれら「AI」に対してIBMなりのこだわりがあって、それとは異なる現代の知的なシステムは「コグニティブ」というワードで表しています。当初はIBMだけが使っていて、日本人には馴染みのない英語だったので浸透しないのではないかと懸念しましたが、最近ではMicrosoftも同様のシステムに「コグニティブ・サービス」という言葉を使い、ICT業界では浸透しています。

創薬業界で活躍が期待されるWatson

創薬業界では、ひとつの新薬を開発するのに約10年がかかると言われています。その費用は1000億円以上です。新しい薬をつくるには、時には100万種類を超える化合物とタンパク質の組み合わせを試して有効性を見出していく、気の遠くなるような作業が必要です。Watsonはこの分野でも、すでに米国を中心に活用され、有効な新薬の発見の短期化に貢献しています。日本の一部の製薬メーカーでも、創薬分野においてWatsonの導入や検討をはじめています。

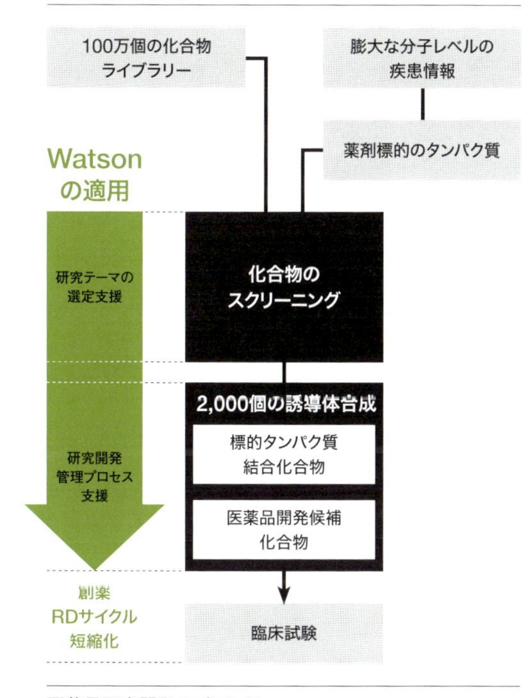

医薬品研究開発のプロセス
Watsonは創薬業界からも注目されている（IBM Watson日本語版発表会にて、第一三共の発表資料をもとに作成）

新薬の研究開発のプロセスは、化合物のライブラリーとタンパク質の組み合わせとスクリーニング、2,000個の誘導体の結合など、膨大な時間がかかるとされていますが、それをWatson導入によって短縮化できる可能性があるのです。

2014年、Watsonは新しいがん治療薬の開発に進歩をもたらしました。IBMとベイラー医科大学との共同研究において、がん抑制遺伝子に作用するタンパク質を絞り込む作業にWatsonを導入しました。その結果、約7万件の科学論文を分析し、「p53」と呼ばれるがん抑制遺伝子に有望と考えられるタンパク質を6種類も特定したと言います。このようなタンパク質は、それまでは1年に1個見つかればよいほうだとされていたにもかかわらずです。

白血病の診断にWatsonが活躍

2016年8月、医療関連でWatsonに関する素晴らしいニュースが入ってきました。発表したのは東京大学医科学研究所です。

急性骨髄性白血病と診断されたある60歳代の女性患者は、2種類の抗がん剤治療を半年間受けていましたが、改善が見られませんでした。しかし、Watsonに2000万件以上のがんに関する論文を学習させ、この病状から診断させたところ、約10分で病名と治療法を推定しました。医師もその判断に同意し、それに従って治療を行ったところ、患者は回復し、退院するまでに至ったという事例です。

もちろん、Watsonが医師に代わってすべての病気と治療法を特定するようになると推測するのは早計です。しかしながら、Watsonは新薬の開発や医療を支援し、実績を残しはじめています。特に、主治医の診察へのアドバイスやセカンドオピニオンとしての活用は、実用的な水準に近づいていると言えるかもしれません。

文章を理解し、人間の心の動きを解釈する人工知能「KIBIT」

日本発の文章の機微を理解するAI

IBM Watsonが自然言語を理解し、意図を解釈できるコンピュータの先駆けとなりましたが、自然言語を理解できるコンピュータはIBM Watsonだけではありません。日本にも文章を理解し、識別や判断を行うことができるコグニティブ・システム（AI）は存在しています。FRONTEO（フロンテオ）が開発した人工知能「KIBIT」（キビット）です。

KIBITは、人間の微妙な心の動きを意味する日本語の「機微」（KIBI）と、情報量の最小単位を意味する「ビット」（BIT）とを組み合わせて「人間の機微を理解する人工知能」という意味合いで命名されました。機能をひとことで言うと「文章を読んで理解し、意図を解釈する」人工知能です。

KIBITを開発したFRONTEOは、国際訴訟などに必要な電子データの証拠保全と調査・分析を行う「eディスカバリ」（電子証拠開示）や、コンピュータフォレンジック調査の支援に長けた企業です。法律分野で培った解析技術をベースとして人工知能の開発を手がけ、ヘルスケア、デジタルマーケティングなど活用の幅を広げながら、2018年で15年目を迎えます。2016年7月にUBICという名称からFRONTEOに変更しました。

こうした背景を活かして、たとえば、社員の電子メールから、横領や談合などの不正な内容を発見し、管理者に通知することなどに使われています。

AIが暴く「不正示唆メール」

次のメールはKIBITが「不正示唆メール」と判定したものです（実際にAIが不正を発見した事例）。

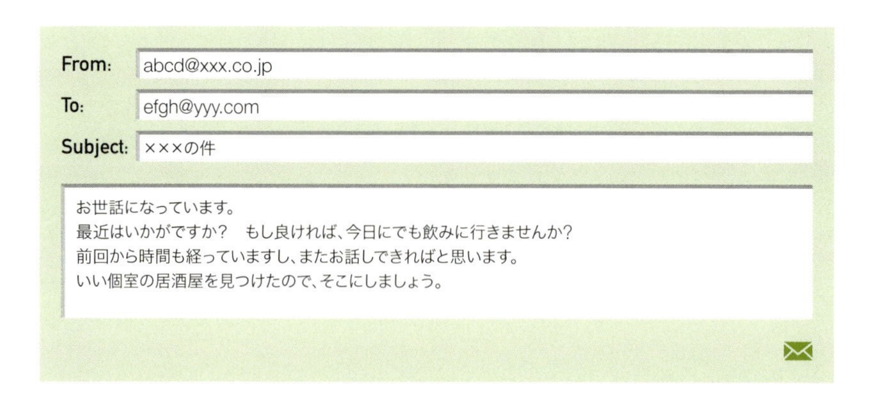

一見、普通のメール本文にも見えますが、正しいメールと不正なメールをディープラーニングなどで機械学習し、判別する機能を持ったKIBITなら、見分けがつくと言います。ちなみに、下記のメールは不正示唆メールとは判定しませんでした。読み比べてみると、KIBITが判定した根拠が見えてくるかもしれません。

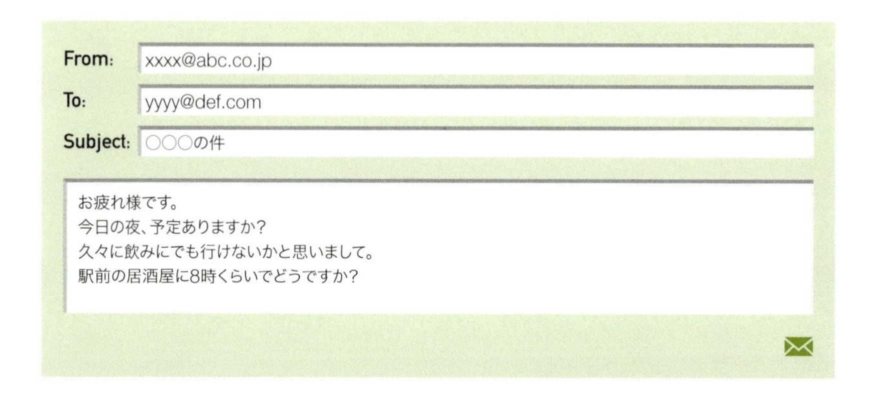

KIBITの学習は多くのAIシステムと同様に、まず「教師データ」（関連性ありかなしか、判断すべき解を付けたデータ）を作成するところからはじめます。た

とえば、訴訟支援の例では、いくつかのメールを専門家が読んで、これは怪しい、これは怪しくないという判定をして、それぞれにラベル付けを行います（それを教師データとします）。はじめは20～30件程度のメールを解析するだけで特徴量を抽出すると言います。データを読み込ませるごとに学習して精度を上げていき、怪しいメールにはどういう特徴があるのかをKIBITは理解していくのです。

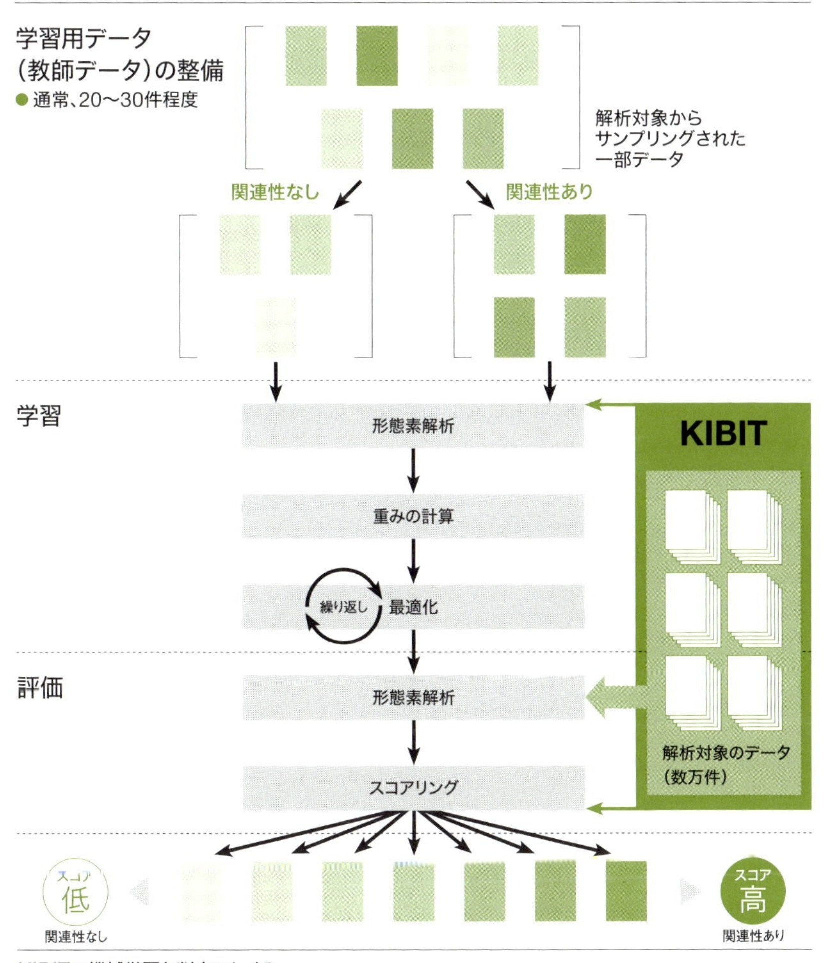

KIBITの機械学習と判定のしくみ
KIBITは文章の形態素解析などを行い、単語単位や文脈を理解する。教師データをもとに「怪しい」メールと「怪しくない」メールを解析させると、その違いを学習していく。学習後はメールを読ませると「怪しさ」をスコア付けして回答する（訴訟支援の例の場合）

銀行などの金融機関がAI技術を導入

他にも、金融機関のコンプライアンス・チェックや面談記録のチェックにもKIBITは導入されています。

横浜銀行は2017年4月に、顧客本位の取り組みを強化するため、KIBITを活用した文章の解析技術を導入したことを発表しました。個人の顧客の資産形成・運用に関わる業務においては、営業担当者が顧客と交わした会話などをもとに記載した膨大な面談記録が残されています。これを機械学習したKIBITが解析することで、顧客の真のニーズをこれまでよりも迅速かつ効果的に分析し、今後の提案活動に活かすことができるとしています。また、営業店の役職者による面談記録の確認業務を効率化することで、それによって創出した時間を顧客との接点拡大につなげていけると見込んでいるのです。

また最近は、KIBITが日報を読む業務も増えていると言います。膨大な数の社員や契約社員が働く組織では、管理者がすべての日報に目を通すこともままならない実情があります。また、読むだけでなく、日報から問題点や課題を発見したり、顧客からのクレームや社員の精神や身体の状況までを把握したりすることが重要ですが、そこまで行き届かない場合も多く、その業務をKIBITのようなAIが補完しようという試みがはじまっています。

顧客関連	社員関連
●顧客からのクレームやトラブル	●社員（報告書作成者自身）の心のケア
●顧客が抱える潜在的な不満	●組織への不満や不信
●顧客対応の不備	●管理者や同僚の不正や不満

報告書から読み取れる問題点や課題の例

管理者が目を通すことができない膨大な報告書も、AIが異常を見つけて、それを管理者が重点的に読んで対応することで、さまざまな課題の解決につながるとみている。クレームやトラブル、不正だけでなく、組織への不満や働き方改革にも役立つ可能性がある

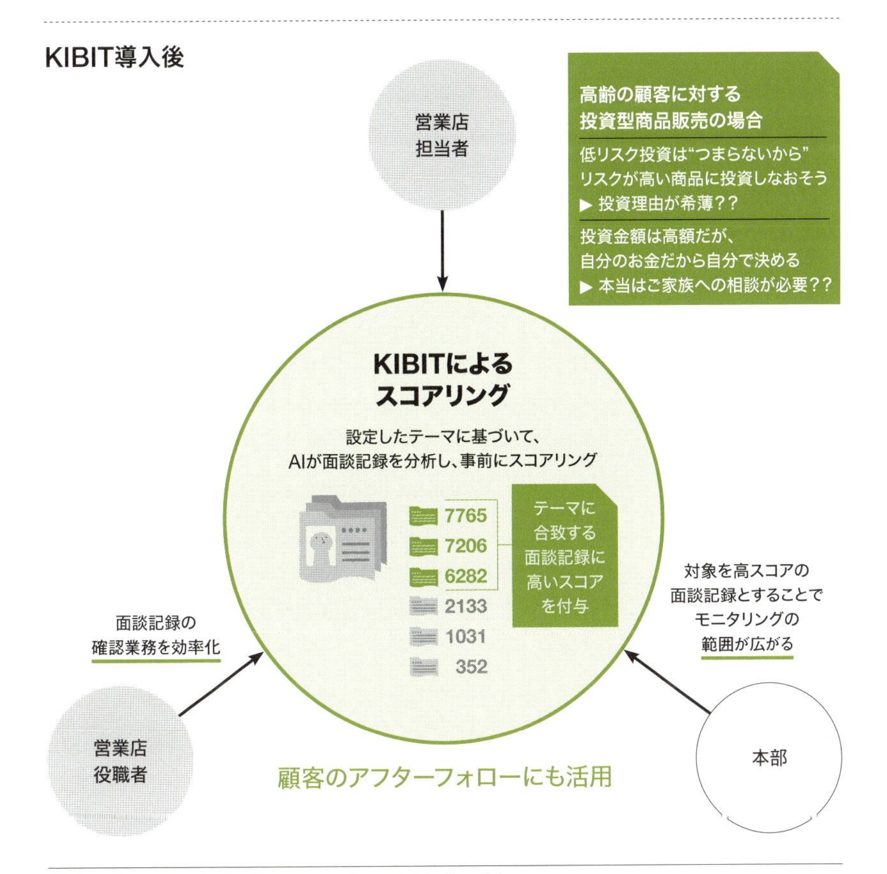

横浜銀行が導入したKIBITのイメージ図(導入前・導入後)

膨大な記録を読み切れない、モニタリングが特定の条件に合致する取引の面談記録のみに限定されてしまうという課題があり、KIBIT がその部分を補う(横浜銀行が発表したプレスリリースより)

会話するコンピュータ

人とコンピュータが会話するための技術

「会話」は狭義では言語や手話、ジェスチャーなどで行うコミュニケーションを指します。コンピュータが人間と会話によってコミュニケーションをとったり、情報を提供（質問に回答）したりするには、主にどのような技術が必要になるでしょうか。要素技術で分解してみました。

1. 自然言語を理解する（聞く）

- 音声認識
  （人が発話し、コンピュータがそれを聞き取る／ノイズの除去／テキスト化）
- 形態素解析（聞き取った文章を解析して分類する）
- 自然言語処理分類（意図の理解）
- テキストをシステム言語にフォーマット変換
  （コンピュータが活用できるようにする）

2. 最適な回答の検索と発見（考える）

- データベース検索（マニュアル／ FAQ ／対応履歴など）
- 回答の判別と抽出、ランク付け
- テキスト文章へ変換

3. 自然言語で回答する（発話する）

- 回答の候補を自然言語に変換
- 結果候補をスコアとランクで表示
- 自然言語で発話する（音声合成）

Watsonを含めて、従来のコンピュータが比較的得意とする部分が「2. 最適な回答の検索と発見」です。何かの設問に対して、膨大なデータ量の回答の中から、最適と思われる回答を抽出する部分です。クイズ王との対戦では、この部分の精度を上げることと、さらには「1. 自然言語を理解する」部分の「自然言語処理分類」、つまり文章の意図を理解する能力を向上させることで、「ジョパディ！」での回答の精度を上げたのだと思います。

よって、「ジョパディ！」で勝ったとしても、「自然言語で人間と会話する能力が人間並みになった」とは言えないのです。それほどコンピュータが人間と同等に会話をすることは困難なのです。

しかし、Watsonは強みを活かして実践に導入されはじめました。自然言語の会話以外でも「2. 最適な回答の検索と発見」の能力を活かして、白血病やがんなどの医療分野では成果を出しはじめています。

IBM Watsonの性能としくみ

コグニティブ・システムの３大特長

2016年2月18日、日本IBMとWatsonの日本語版の戦略的提携パートナーであるソフトバンクは、IBM Watson日本語版として6種類のサービスの提供を発表しました。これにより、6つの機能（API）においてWatsonは日本語を学習し、理解できるようになりました。

IBM Watson日本語版の報道関係者向け発表会では、コグニティブ・システムの日本市場における3つの大きな特長が説明されました。それは「1. 自然言語を理解すること」「2. 文脈から推察すること」「3. 経験などから学ぶこと」です。すなわち、人間との会話をスムーズに行い、会話の文脈から意図を理解し、最適な回答を行い、常に学習によって経験値として会話の精度を上げていくということです。

コグニティブ・システムの日本市場における3つの大きな特長
IBM Watson日本語版の特長は、人間の会話、すなわち自然言語を理解し、文脈から推察し、経験などから学ぶこと。ディープラーニングで自律学習する技術も使われている

IBM Watson日本語版の6つの機能と技術

日本語に対応したWatsonの6つのサービスとは、人間と自然な会話ができる「会話（音声）」（2種類）と、質問を理解して最適な回答を見つける「自然言語処理」（4種類）です。実際には、Watsonは30種類以上のサービス（API）が英語版でリリースされているので、その第一弾として、まずはこの6種類が日本語対応になったことになります。それぞれの機能は次の通りです。

自然言語処理 日本語を理解して最適解（最適な回答）を見つける技術	1	**自然言語分類** Natural Language Classifier	人間の会話（自然言語）から意図や意味を理解するための技術
	2	**対話** Dialog	個人的なスタイルに合わせた会話を行う技術
	3	**文書変換** Document Conversion	PDFやWord、HTMLなどの人間が読める形式のファイルをWatsonが理解可能な形式に変換する技術
	4	**検索およびランク付け** Retrieve and Rank	膨大なデータの中から最適解を導き出すための、機械学習を利用した検索技術と複数回答のランク付け
会話（音声） 日本語で会話するための聞く／話す技術	5	**音声認識** Speech to Text	人間の話した声を文字に変換する技術
	6	**音声合成** Text to Speech	人間の声を人工的につくり出し、発話する技術

日本語版がリリースされたWatsonの6つの機能（API）
テキストによるQ&Aなら「自然言語処理」を活用し、音声対話を行う場合は「会話（音声）」のAPIで行う

なお現在では、会話だけでなく、照会応答、データ分析、知識探索、心理分析（感情分析）、画像認識など、さまざまな用途で活用できる多くのAPIが提供されています。

コールセンターで活躍するWatson

コールセンターで活用される「聞く」能力と「答えを探す」能力

みずほ銀行では、コールセンターにIBM Watsonを導入して活用をはじめています。2015年の2月に導入をはじめ、現在では200席以上でIBM Watsonが活用されています。もちろん銀行業務ですから、顧客からの問い合わせ内容は「口座のつくり方」「金利はいくら」「近くの店舗」などの内容になります。そのようすはYouTube（IBM Japan Channel）にアップロードされた動画で、広く公開されています。とは言っても、顧客からの電話にIBM Watsonが直接回答しているわけではありません。IBM Watsonの「聞く」能力と「答えを探す」能力を上手に使いつつ、人間が補完することによって、業務にマッチさせた支援システムとして稼働させています。

コールセンターに顧客からの問い合わせの電話が入ると、オペレーターは受話器をとって応答をはじめます。顧客は「娘の口座をつくりたいんだけど……」と問いかけます。しかし、ある顧客は「あ、その～、なんだっけ？　そうそう新規口座っていうの？　新しい通帳っていうの？　どうするんだっけ？」と質問するかもしれません。顧客の尋ね方や言いまわしは千差万別。コンピュータではまだ、顧客からのあらゆる尋ね方に対応できるだけの順応性はありません。

しかし、実はこの質問の内容は同じです。そこで、オペレーターは復唱します。「新規口座のつくり方のお問い合わせですね？」。IBM Watsonはこのオペレーターの復唱した言葉を聞いていて、すぐに最適な回答を探します。オペレーターはWatsonが質問の意図の解析をしやすいような言葉に置き換えて復唱することで、Watsonが回答を探しやすくしているのです。

コールセンターで活用されるIBM Watsonのイメージ
言いまわしは違っていても、実は同じ質問内容。オペレーターが補完して、質問の内容を復唱することで、Watsonは質問の意図が理解しやすくなる

Watsonは「新規口座のつくり方」として最適な案内から複数の回答にランキングを付けて、オペレーターのパソコンに表示します。オペレーターはその候補の中から、今回の問い合わせに最も合ったものを回答します。オペレーターは「ご来店いただく方法と、パソコンやスマートフォンから新規口座をおつくりいただく方法があります」と答えました。

顧客はそれを聞いて「え？　行かなくてもつくる方法ってあるんですか……。スマホはあるけど、どうすればいいんですか？」と質問します。「スマートフォンで新規口座をつくる方法ですね？」とオペレーターが復唱すると、Watsonは操作方法の手順をオペレーターのパソコン画面に表示します。

1

コールセンターでは、顧客からのさまざまな質問に対して、オペレーターが復唱する言葉を聞いて、質問の意図を理解して回答を探す

（YouTube 動画より）

2

オペレーターのパソコン画面に適切な回答の候補を表示し、顧客からの次の質問に備える

（YouTube 動画より）

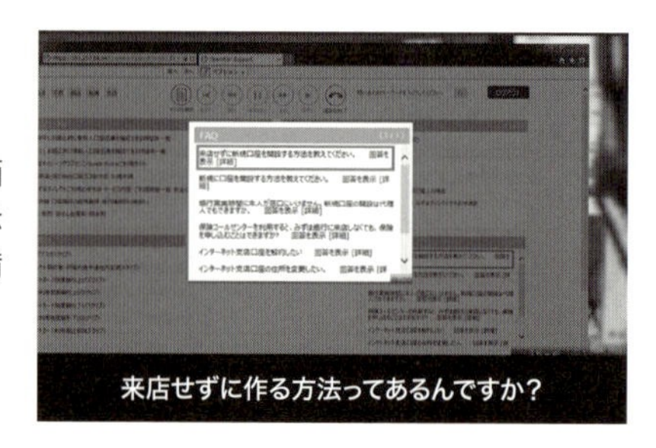

Watson導入の大きな効果

コールセンターにIBM Watsonを導入した際の大きな効果として、「顧客との通話時間の短縮」「オペレーターの育成期間の短縮」という2点を挙げています。

それまでオペレーターは、顧客の質問内容に対して、分厚い紙のフォルダーに綴じられたマニュアルから回答を探したり、確認したりして、答えていました。Watsonを導入したことで、回答に必要な時間が短縮され、かつ、回答の精度が向上すると見込んでいます。データが蓄積すればするほど、回答の精度も上がっていくことでしょう。

また、このシステムは新人オペレーターのスキル不足を補完するのに効果的です。Watsonは、今までの顧客からの問い合わせ履歴やQ&Aをベテランのオペレーターが精査したものを教師データとして機械学習します（シナリオとして

作成します)。そうすることで、新人オペレーターであっても、顧客に対して最良の回答で案内できる可能性が高まります。従来、新人オペレーターにはベテランがそばについて、顧客の質問に対して最適な回答をアドバイスしていましたが、このシステムを使うことで、オペレーターは回答を通じて経験や知識を積んでいくことができます。

AI関連システムの実態と課題

みずほ銀行の担当者は「Watsonをコールセンターに導入した初期は正答率が上がらずに心配になった」「学習してもかえって精度が落ちて心配になることもあった」などと本音を漏らしています。しかし、「それでもオペレーターが正答を根気よく教えることで正答率が改善されていき、システムが学習するということを実感した」とコメントしています。これがAI関連システムの実態です。まるで人間のように、教え方や学習の方法によって、賢くなったり、かえってダメになってしまったりすることもあるのです。

その難しさはさておき、この例は、IBM Watsonといえども、人間の自然な会話を理解して、顧客と直接会話することはまだまだ難しいこと、会話を人間が補完する、すなわち人間とコンピュータの協働によって、業務が効率化できることを端的に物語っていると言えるでしょう。

会話を学ぶスマートスピーカー

世界中から注目を集める「ボイス・ユーザー・インターフェース」

私たちはパソコンを操作するとき、主にキーボードとマウスを使います。スマートフォンは画面をタッチしたり、タップしたりして操作します。コンピュータが人間の言葉を理解して会話するという挑戦ははじまったばかりですが、人が音声でコンピュータを操作できるようになると、どんなことが起こるでしょうか。

「もうやっているよ」という人も多いと思います。スマートフォンで言えば「iPhone」シリーズの「Siri」（シリ）やAndroidの「Googleアシスタント」は音声入力の代表です。「明日の天気は？」「野球の試合の結果を教えて」「近くのコンビニはどこ？」と聞くと、情報を返してくれます。このように音声でコンピュータを操作することを「ボイス・ユーザー・インターフェース」（VUI）と呼びます。今、ICT業界では世界中から注目を集めています。

米国を中心に大ヒットしている製品が、スマートスピーカー「Amazon Echo」や「Google Home」です。日本では「LINE Clova WAVE」があります。家庭で音楽を聴くのに適していますが、音楽の楽しみ方がCDからダウンロードへと移り変わり、最近は定額の音楽配信サービスへと流行がシフトしています。音楽配信サービスで聴きたい楽曲やアーティストを声で指定すれば、気軽に音楽が楽しめるということでスマートスピーカーは人気を呼んでいます。そして、スマートスピーカーのもうひとつの使い方が「音声アシスタント」です。「Siri」や「Googleアシスタント」と同様に、会話をしながらさまざまな情報を音声で提供してくれ、ピザの注文やオンラインショッピングもできるようになっています。

米国企業がリードする音声アシスタントの覇権争い

音声アシスタントにはAI技術が使われていて、会話をすればするほど経験が蓄積され、精度が上がっていくしくみです。最初は会話が噛み合わないことが多くても、会話が上達して精度が上がっていけば、ユーザーの質問に対して的確な回答を返せる確率が上がっていきます。

ほとんどのスマートスピーカーには画面がありません。音声で聞かれたことは音声で返さなくてはいけません。実はこれが重要なことなのです。小型のマイクとスピーカーさえ付ければ、どんな機器にでも音声アシスタントが入る可能性があるからです。画面やキーボードがなくても構いません。

「Amazon Echo」では「Alexa」（アレクサ）と呼ばれる音声アシスタントが使われています。Amazonはさまざまなメーカーと連携して、いろいろな機器にAlexaを入れようとしています。自動車、冷蔵庫、掃除機、洗濯機など、Wi-Fiなどを通じてインターネットにつながるものなら何でもです。そうすることでAlexaの利用率は上がり、ますます会話の精度も向上します。日用品のショッピングはAmazonで買うようになるでしょう。

近未来を描いたSF映画を思い出してください。登場人物がコンピュータを操作するとき、その多くは音声でやっていませんか？　日本の企業の多くはまだあまり関心を示していませんが、スマートスピーカーの市場争いというのは、未来の音声アシスタントの覇権争いに向かっているのです。

Amazon Echoで変わる生活▶ Amazon Echoは音声で「Alexa」を呼び出して、一問一答の会話によって操作することができる（Amazon公式ホームページより）

自動車にAlexaを搭載した未来

Ex. ► The future with Alexa in the car

リビングでAmazon Echoに話しかけてAlexaに渋滞情報などを聞くことができる。さらに「クルマのエンジンをかけて」と指示することもできる

Alexaによってクルマのエンジンがスタート

クルマの運転中にも、Alexaとの会話でさまざまなことができる。目的地へナビゲーションしたり、近くのコーヒーショップの場所を聞いたり、ガレージのシャッターを閉めたり、玄関の電気のオン／オフも車内から指示ができ、昨日のスポーツの結果やニュースも知ることができる

メーカー	代表製品	音声アシスタント
Amazon	Amazon Echo	Alexa
Google	Google Home	Googleアシスタント
LINE	LINE Clova WAVE	Clova
Apple	Apple HomePod（日本未発売）／iPhone	Siri
Microsoft	Windows10	Cortana

音声アシスタントとメーカー

創作するAIコンピュータ

レンブラントの新作絵画を描くAI

AIに大量のデータを学習させることで、識別や判別ができるようになると解説しましたが、これを応用するとさまざまな模倣が可能になり、クリエイティブの世界にも活かせると期待されています。

レンブラント・ファン・レインはバロック期を代表するオランダの画家です。2016年4月、MicrosoftとINGグループ、レンブラント博物館、デルフト工科大学らによる、レンブラントの作風をAIコンピュータで再現しようというプロジェクト「The Next Rembrandt」の作品が発表されました。346点のレンブラントの作品群をAIに機械学習させ、特徴と作風を理解させた上で、新作を3Dプリンターがつくり上げたのです。プリントではなく3Dプリンターを使用したことで、作風の凹凸まで再現されていると言います。この作品の動画は、YouTubeで「The Next Rembrandt」のキーワードで検索すると、見ることができます。AIに学習させる過程も解説されています。

ビートルズ風の新曲をつくったAI

2016年9月、ソニーコンピュータサイエンス研究所（ソニーCSL）の仏パリ拠点の「Research Laboratory」が、ビートルズ風の新曲をAIに作成させてYouTubeで公開しました。曲名は「Daddy's Car」。この曲を作曲したのはAIの「Flow Machines」です。楽曲が本当に「ビートルズを彷彿とさせる」かどうか、皆さんのイメージ通りかは、実際に聴くのが一番ですので、YouTubeで「Daddy's Car: a song composed by Artificial Intelligence - in the style of the Beatles」で検索してみてください。

ただ、実際にこの曲ができるまでの工程には、人間が大きく関わっています。AIがスイスイと作曲できるような時代にはなっていません。まず、AIと連携した音楽ツール「Flow Machines」を人間が操作して作曲を行わせ、その上で編曲や作詞は人間が行っているのです。実際には、AIと人間との合作という表現が適切でしょう。

では、AIは作曲をどのように行ったのでしょうか。そして、これはどんな意味を持つのでしょうか。

2017年2月に開催されたシンギュラリティ大学主催のイベント「ジャパン グローバルインパクトチャレンジ」の基調講演で、ソニーCSLの北野宏明氏が語った内容によれば、はじめに、約1万4000件のリードシート（楽譜：旋律とコード）をAIに読み込ませて機械学習を行いました。これによって、人間がつくる音楽の動きの規則やパターン、基本的なスタイルをAIは学習します。

さらに、ビートルズの楽曲を45曲選択して、AIに「ビートルズ・スタイル」として学習させました。AIは基本的に人間が好む音楽のスタイルを学習した上に、ビートルズのスタイルを学習したことになります。このAIにビートルズ・スタイルとして作曲させ、最も良いものを選択して編曲、ミキシングや仕上げを行い、歌詞を付けて完成したのが「Daddy's Car」です。

では、AIが作曲したこのビートルズ風の楽曲の誕生は何を意味するのでしょうか。北野氏によれば、人間が音楽として聞こえる全体の空間があり、その中の一部にビートルズらしい曲だと感じる空間があります。実際には、ビートルズは人々がビートルズらしいと感じる空間のそのごく一部だけを楽曲として発表していると言います。

Flow Machinesは45曲のビートルズのスタイルを学習しましたが、「Daddy's Car」はそれらの楽曲を一部たりともコピー＆ペーストしたものではなく、明らかにインスパイアされて生まれた楽曲です。これはすなわち、Flow Machinesはビートルズらしく聞こえる空間の中から、ビートルズが見つけていないビートルズらしい楽曲を見つけて作曲したということです。

これを応用すると、さまざまなスタイルの音楽をAIが作曲できます。実際に10曲程度作曲され、AIがつくった楽曲だけでコンサートが開かれています。

音楽とビートルズ楽曲の関係
音楽という空間の中にビートルズ・スタイルという空間があり、その空間の中の一部にビートルズ自身が作曲した楽曲群の集合があるという

人間が見つけられなかったものをAIが発見する

レンブラントやビートルズ、絵画や音楽のような芸術の領域にも AI はすでに進出しています。「機械には芸術が理解できない」という言葉もやがては聞かれなくなるかもしれませんが、実際には、AI は芸術そのものを理解したわけではありません。出発点は模倣であり、その中から「らしさ」を発見しています。実は、人間が学習するときも最初は模倣からはじめます。その上で、自分らしい作品をつくるか、学習した模倣の作者らしくつくるかが、人間と AI の大きな相違点と言えるでしょう。

では「人間は AI より優れているか」と問われれば「はい」とも言い切れません。それは、たとえ模倣の世界であっても、人間が気づかない特徴を AI が発見できる可能性が高いからです。

ビートルズの作曲した楽曲をある研究の仮説に置き換えたとすると、膨大な仮説の世界の中で人間が発見できる仮説はごく一部なのかもしれません。スタイルを学習した AI が作曲を行うのと同様に、AI が大量の事実や仮説を学習した上で、仮説の世界を探ったとき、人間が見つけることができなかった発見をする可能性は十分にあるのです。すなわち、人間と AI のチームワークによってこそ、新たな発見や真理が生まれる時代に入っていくと考えられるのではないでしょうか。

AIで翻訳精度が上がる

ニューラルネットワークを導入した「Google翻訳」

近年日本では、海外からの観光客が増えています。皆さんが海外旅行に行く機会もあるでしょう。そんなときに心配なのが外国語での会話です。パソコンやスマートフォンに翻訳アプリが登場していますが、今ひとつ翻訳の性能面で満足できないという人も多いのではないでしょうか。しかし、今後はAIの導入によって翻訳の精度が格段に向上するかもしれません。

Googleは2016年11月、「Google翻訳」にニューラルネットワークを導入したと発表しました。当初は日本語、英語、フランス語、ドイツ語、スペイン語、ポルトガル語、中国語、韓国語、トルコ語の9か国語の翻訳が実用化され、多くのユーザーから「自然言語にすごく近づいた」「今までとは翻訳レベルが違う」と驚愕の声が上がりました。

Google翻訳を含めて、従来の翻訳システムは、文章をパーツごとに分割し（形態素解析）、単語ごとに翻訳し、文章としてつなげていました。そのため、単語ごとには翻訳されているものの、文章として読むと意味が通らないというものが多かったのです。

新しくニューラルネットワークを使った機械翻訳は、あくまでひとつの文章として捉え、文のコンテキストを把握して翻訳を行います。そのため、通して読んでも自然な文章に翻訳できる確率が上がりました。また、機械学習によって精度を向上させた上、フィードバックによってその都度学習することで、さらに翻訳精度が向上するしくみを取り入れています。

言葉の壁を圧倒的に下げたAI技術

他の著書や講演でよく紹介してきたAIの翻訳精度を表す文が下記です。英文のウィキペディアの１ページを、従来から利用してきたエキサイト翻訳と、AIでブラッシュアップしたGoogle翻訳で日本語に翻訳した例です。レベルの違いが理解できるのではないでしょうか。

[原文] Wikipedia「Japan」より

The kanji that make up Japan's name mean "sun origin". 日 can be read as ni and means sun while 本 can be read as hon, or pon and means origin. Japan is often referred to by the famous epithet "Land of the Rising Sun" in reference to its Japanese name.

[エキサイト翻訳]（参考）

「太陽起源」という日本の名前平均を作る漢字。本がhonとして読まれうる間、日が臭気と方法太陽として読まれうることponおよび方法起源。日本は、その和名に関連してしばしば有名な悪口「日出づる国」により参照される。

[Google翻訳]

日本の名前を構成する漢字は「太陽の起源」を意味する。日はniと読むことができ、太陽はhon、pon、そして起源を意味する。日本はしばしば、その有名な別名「ライジングサンの国」によって、その日本の名前を参考にして言及される。

ディープラーニングを評価している有識者の中からは、この技術によって近い将来、言語の壁が圧倒的に低くなるという意見が出ています。たとえば、現在の日本では、SNSなどでも日本語圏での情報のやりとりがメインですが、英語圏の人々との情報交換やコミュニケーションも割合が急増すると見込んでいます。そうなると、新しいビジネスチャンスもたくさん生まれてきそうです。

文章を執筆するAIコンピュータ

AIは文章を書くことができるのか

現時点では、「定型の文章をある程度解析して、記事らしく仕上げること」はできます。たとえば、気象庁が発表した天気予報の定型文を、記事のようにわかりやすい言いまわしに仕上げたり、株式市場向けに企業の決算情報が発表になったら、その文章を記事化したりするなどです。それらの動きは記事の自動作成業務として急速に進んでいます。

AIが執筆するスポーツの結果記事

AP通信では2014年より、「ワードスミス」という人工知能が記事の一部を書いています。執筆者名がAI（会社名「Automated Insights」）となっている記事が人工知能の書いた記事です。2015年には、新たな試みとしてカレッジスポーツの記事をAIによって自動作成して提供することを発表しています。NCAA（全米大学体育協会）からスポーツ情報の提供を受け、それをワードスミスがパターン解析し、自然言語生成処理を行って記事に仕上げます。

ワードスミスは単にテキスト文章を生成して仕上げるという機能に留まりません。エクセルなどで作成された表やグラフ、数値の羅列はビジネスや一般の生活でもよく利用されますが、それだけではどのように読んだらよいのか、どんな傾向にあるのか、意味がつかみづらい場合があります。ワードスミスの解析機能は、いわばデータサイエンティストや医師などが読み解くように、それらの数値や表を人間が理解しやすいように説明することができるとしています。

また、ワイアード誌はAutomated Insights社のCEOの言葉として「100万のページビュー（PV）がある1本の記事ではなく、たったの1PVしかない100万本の記事をつくるのが我々の方針だ」というコメントを掲載しています。ワードスミスを導入する理由は、創造性のない文書はAIに生成させ、人件費を削減する目的もあります。

星新一風ショートショートをAIと共同執筆

では、AIには小説を書くことはできるのでしょうか？

2012年9月にスタートした「きまぐれ人工知能プロジェクト 作家ですのよ」は、公立はこだて未来大学の松原仁教授を中心にしたプロジェクトです。星新一のショートショート全編を分析し、人工知能におもしろいショートショートを創作させることを目指しています。実際に、人間とAIが共同執筆した短編がいくつか発表され、日本経済新聞社主催の「星新一賞」に応募しました。残念ながら、最終選考には残りませんでしたが、応募作品のひとつが一次審査を通過する成果を残しました。作品『コンピュータが小説を書く日』と『私の仕事は』は公式ホームページに掲載されているので誰でも読むことができます（2018年9月時点）。出来栄えは皆さんが判断してみてください。

ただ、やはりこれにも注釈が必要です。というのも、これらの作品は人間があらすじを考え、文章は人工知能が一次として作成、人間がそれを手直ししているため、全体としてはAIの作業は1～2割程度で、まだまだ大半は人間の執筆作業で行われています。AIが小説を書いたと言えるまではまだ遠いものの、今後の展開に注目したいと思います。

進化するロボット

人類が「シンギュラリティ」を迎える時期は、
AI・ロボット・IoTによる技術革新のスピードによって変わるかもしれません。
なかでも、人間の身体を代替するロボットの開発は、
まだ多くの課題を抱えています。

Chapter

3

シンギュラリティからのメッセージ

人々の予想を超えたスピードで起こるAIの進化

Chapter2では、人工知能が「超知能」に進化していくまでの序章として、AIと呼ばれている深層学習（ディープラーニング）されたコンピュータと、現実での利用方法、実践例などを解説しました。

ディープラーニングを使ったコンピュータの識別や判断能力、創作（模倣）能力は、たしかに今までのコンピュータとは異なる、ブレイクスルーを迎えたと言ってよいでしょう。しかし、それが「超人間」の頭脳にまで至るかと言えば、そうとは言えません。今後、もっと多くのブレイクスルーによって達成されていくものと考えられています。

ただし、レイ・カーツワイル氏が著書で唱えているのは、その進化は人々の予想を超えたスピードで起こるということです。そのため、「まだまだ先のことだろう」と予測している未来が、あっという間に次々と実現されていくだろうと警鐘を鳴らしています。人工知能に対して警戒感を強めている多くの有識者もそれを心配しています。現時点ではAI技術は恐れるものではないものの、将来にわたっての開発ルールや運用ルールを定めないといけない。一気に技術革新が進んで法整備やルールづくりが後手にまわると、取り返しがつかない事故やトラブルにつながる可能性がある、そう言っているのです。

法整備やルールづくりの必要性

たとえば、人工知能技術が急成長したため、自動運転車の実現が急速に現実性を増しています。しかし、法整備は追いついていません。自動運転車の運用をどんな範囲で認めるのか、事故が起きたときの責任は誰にあるのか、自動車同士の通信に障害があって事故につながった場合、通信事業者や道路などのインフラ管理者が責任を負う可能性があるのか、そういった具体的なことはまだ十分に議論されているとは言えません。「自動運転車が実際に走るようになってから考えればいいじゃないか」では済まされません。

AI、ロボット、IoTによって、技術革新が起ころうとしています。

「シンギュラリティ」は未来予測ですから、当たるかもしれないし、はずれるかもしれません。しかし、可能性のひとつとして、「機械がそのような進化を、もしも遂げたなら」と私たちは備え、勉強しておく必要があるはずです。

人工知能は人間の頭脳に対する挑戦です。では、人間の身体のほうはどうでしょうか。代替するのは「ロボット」にほかなりません。この章では、ロボットの現状と可能性について見てみましょう。

産業用ロボット技術の現状

頭脳の人工知能に対して、身体にあたるロボット

今、さまざまなロボットが注目される時代を迎えています。これが一過性のブームで終わるのか、この先も潮流となって大きく拡大していくのか、それはまだわかりません。ただ、「シンギュラリティ」がやってくるとすれば、頭脳のAIに対して、身体にあたるロボットの存在は不可欠です。ただ、それがどのような形状なのか、果たして人間に模したヒューマノイドなのかもわかりません。

薄れつつある日本の優位性

日本はこれまで「ロボット大国」と呼ばれ、技術の高さでロボット業界をリードしてきました。それは主に産業用ロボットです。

それを表す数値のひとつとして、2013年7月に経済産業省が公表したロボット産業の市場動向に関する調査があります。この調査はロボット産業に関する政策検討を実施するために行われたものです。調査結果によると、2011年のロボット市場は世界規模で6628

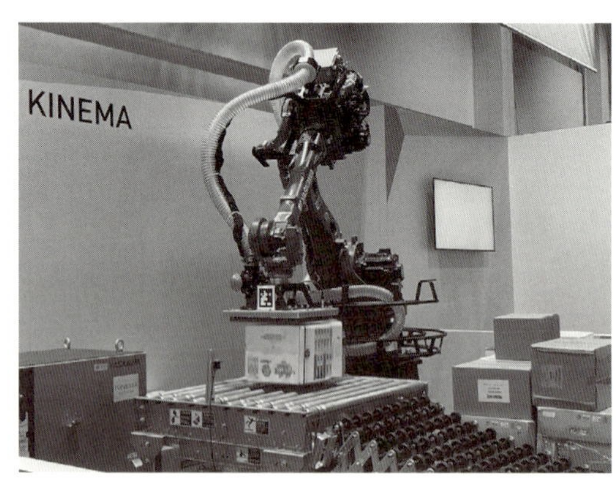

産業用ロボットの例▶ 工場の生産ラインで活躍する産業用ロボット。日本が技術力で牽引してきた

億円、直近5年間で約60%成長しました。うち日本企業の金額シェアは半数を超え、50.2%を占めています。

主要国や主要地域における産業用ロボット販売台数を見ても、2011年の時点で日本は世界のトップシェアを持っています。2011年は世界的に販売台数が伸びた年ですが、日本16.8%、韓国15.4%、ドイツを除く欧州14.6%、中国13.6%と続いています。しかし、近年はドイツや中国が猛追し、日本の優位性は薄れつつあります。

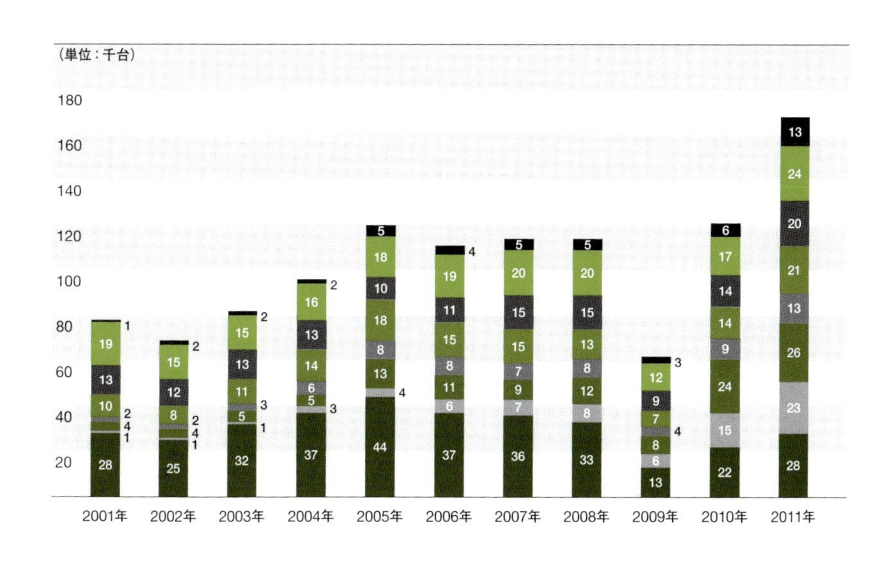

	2001年	2002年	2003年	2004年	2005年	2006年	2007年	2008年	2009年	2010年	2011年
その他	1.7%	2.8%	2.2%	1.7%	3.8%	3.7%	4.6%	4.1%	4.3%	4.7%	7.8%
欧州(独除く)	24.2%	21.7%	18.1%	16.5%	15.3%	17.1%	18.0%	17.4%	20.0%	13.8%	14.6%
ドイツ	16.3%	17.3%	16.1%	13.8%	8.4%	10.3%	13.0%	13.4%	14.2%	11.7%	11.8%
米国	12.9%	12.3%	13.9%	14.3%	14.7%	13.3%	13.2%	11.8%	11.4%	11.9%	12.4%
アジア(日中韓除く)	2.5%	2.4%	3.5%	6.5%	6.7%	7.0%	5.7%	6.8%	6.6%	7.8%	7.6%
韓国	5.2%	5.8%	5.7%	5.6%	10.8%	9.7%	8.0%	10.2%	13.1%	10.6%	15.4%
中国	0.9%	0.8%	1.8%	3.6%	3.7%	5.2%	5.8%	7.0%	9.2%	12.4%	13.6%
日本	36.3%	37.0%	38.8%	38.2%	36.6%	33.7%	31.8%	29.3%	21.3%	18.2%	16.8%

主要国・地域の産業用ロボット販売台数(上)と台数シェア(下)(電子部品実装機を除く)

2011年の時点では、日本が世界のトップを走る ※経済産業省発表 ロボット産業の市場動向より(2013年7月)

工場の生産ラインに欠かせない「アームロボット」

産業用ロボットとは、主に工場で利用される「アームロボット」に代表される形状のものです。日本のロボットは精巧で高速、故障が少ないなどの要因で高く評価されました。日本メーカーでは、安川電機、ファナック、川崎重工業、不二越、エプソン、三菱電機、デンソーなどが世界のトップ10を争っています。

たとえば、コンピュータ用の基板に配線を行ったり、小さなICチップを載せてハンダ付けしたり、そのような細かな作業を繰り返し、正確に行うことは、すでに人間の能力を超えていると言えるでしょう。もちろん、定期メンテナンスを除けば、24時間稼働し続けることも可能です。

アームロボットの場合、腕の部分を「ロボットアーム」と呼び、手や指の部分を「ロボットハンド」と呼びます。通常、ロボットハンド部は簡単に取り替えることができ、作業に合わせて最適な構造のハンドに付け替えます。

流れ作業による組み立て工程を「生産ライン」と呼びますが、そこで作業するのがアームロボットです。流れてきた部品を検知し、別の部品を組み込んで組み立てたり、スプレー塗装したり、そんな工場の映像を見たことがあると思います。

ロボットハンドの例▶アーム先端のハンド部分は挟んでつかむ形式（グリッパー）や吸引式（バキューム）など、作業に合わせて交換して使う。写真は吸引式の例

産業用ロボットを進化させるカメラ技術やAI関連技術

産業用ロボットの代表はアームロボットですが、自動で高速に卵を割ったり、菓子類などを袋詰めしたり、さまざまな形状の自動機械が工場では稼働しているため、それらをロボットと総称する場合もあります。

高精度の作業を正確にこなす産業用ロボットですが、一方で「知能化」されていないと揶揄されてきました。決められた作業を繰り返し行うことは優れていますが、決められた作業以外のことには対応できず、その場の状況に応じて臨機応変に判断することはできないのです。極端に言えば、生産ラインを流れてくる部品がズレていたり、向きが変わっていたりすると対処できないのです。

同じ場所を正確に塗装する、溶接する、ICチップを装着するといったことは、人間以上の精度でできるのに、バラバラに積まれたネジをつかんだり、いろいろな形状の部品を分別したりすることなどは苦手だったのです。

そんな状況が、AI技術がブレイクスルーを迎えた近年、大きく変わってきました。たとえば、カメラ技術やAI関連技術と連携することで、ある程度の状況を認識・判断することができるようになってきたのです。これも「機械が目を持った」ことのひとつです。

たとえば、生産ラインに流れてくる完成品を、カメラとAIが瞬時に良品か不良品かをチェックして、不良品のみロボットが生産ラインから除外したり、どのような向きで製品や部品が流れてきても、適切な場所をつかんで別のパレットに移し替えたりするなどの作業ができるようになっています。

コミュニケーションロボットの現状

家族に必要な情報を届ける「コミュニケーションロボット」

ロボット産業は大きく分けて２つの分野があります。産業用ロボットとそれ以外です。ずいぶんと大雑把な分類ですが、現状はそうなっています。それ以外のロボットの総称を「サービスロボット」と呼んでいます。人型をしている必要はなく、腰部に装着して重い物を持つことを支援するものや、電動車いす型のモビリティー機器もサービスロボットに含まれます。

現状では、サービスロボットの代表は「コミュニケーションロボット」（会話ロボット）です。産業用ロボットが実作業を代替するのに対して、知的な会話を目指しているのがコミュニケーションロボットです。究極のかたちは、家庭に入って家族の一員になること。家族のひとりひとりに必要な情報を届ける「情報エージェント」としての存在です。

Pepperの誕生

情報エージェントとなり、家庭に入るロボットが一般的に注目されたのは、ソフトバンクロボティクスの「Pepper」（ペッパー）の登場がきっかけです。2014年６月、千葉・舞浜で開催された報道関係者向け発表会で、孫正義氏自ら「世界初となる感情認識パーソナルロボット」としてPepperを紹介しました。

ステージでは、身長約120cm、人間なら７歳児くらいの背丈の白いロボットが、流暢な日本語で孫氏と会話していました。これはまさに、私たちが子どもの頃に憧れていた「未来」でした。

孫正義氏に紹介されるPepper ▶「世界初となる感情認識パーソナルロボット」として発表されたコミュニケーションロボット「Pepper」

Pepperは人との会話ができるだけでなく、相手の感情を認識し、自らの判断で移動したり、自律的にさまざまなことを学習したりする人型ロボットです。

孫氏は「人類史上はじめて、ロボットに心を入れることに挑戦する」と切り出しました。そして、「100年後、200年後、300年後に今日の日を振り返ったとき、この日が歴史的な一日だったと思うときが来るかもしれない」と続けました。人類にとってPepperの誕生はそれだけ重要な意味を持つことだと示したかったのでしょう。

ロボットは人間の労働力の3倍をこなす

孫氏は以前から、日本の将来を見据えて、少子高齢化による労働力不足の解決策のひとつとして、ロボットが活躍する未来を説いてきました。

ロボット3000万台が人間の労働力9000万人分に相当する、すなわちロボットは人間の労働力の3倍をこなすと言います。ロボット1台が人間ひとりと同じ労働効率を実現すると仮定しても、ロボットが休みなく24時間働くとすれば、8時間労働の人間と比べれば3倍の労働力となります。

また、介護施設での活躍もはじまっています。高齢化社会を支える労働力として、介護施設にも直接寄与していくことを狙ったものです。これらに対しては、ロボットの活躍が今後も一層期待されることは間違いありません。

ちなみに、ソフトバンクが製作したPepperのホームページには、当初、こんなコピーが載っていました。

> 「空中飛行もできません。ロケットパンチも出せません。
> ただ、あなたともっと仲よくなりたいなあ、なんて考えている、
> 人間みたいなロボットです」

労働力としてPepperが役立つことは、会話ができることです。重たい荷物を持って運んだり、家事や洗濯ができたりするわけではありません。このコピーはPepperを実用化する目的を端的に表現していると言えるでしょう。

Pepperは人と会話したり、ダンスや歌などのエンターテインメントを通じて、相手や周りの人たちを笑顔にさせたりするためにつくられたコミュニケーションロボットであり、コミュニケーションによって人の生活を支援するパーソナルアシスタントロボットなのです。

価格は衝撃の19万8000円。実際には、毎月の利用料や保険などがかかるため、3年間で120万円程度見込まなければいけませんが、本体価格の安さはインパクトを与えました。インターネット関連のウェブやスマートフォン関連のソフトウェア開発者の間でも話題を呼び、ロボット向けアプリの開発にも乗り出す企業やプログラマーが急増しました。

ロボットの能力を大きく向上させるクラウド・ロボティクス

Pepperは発表時からクラウドAIとの連携が謳われています。これは一般には「クラウド・ロボティクス」と呼ばれる技術で、現在市販されている多くのロボットに共通するしくみです。「クラウド」とは「雲」という意味から生まれたIT用語です。インターネット上のシステムやサービスのことを指します。

たとえば、スマートフォンを使うときにWi-Fiや携帯電話回線を使ってインターネットのサービスを利用すると思います。Facebook、Twitter、インスタグラム、Googleカレンダーなど、これらはみんな「クラウドサービス」です。スマートフォンで操作していますが、写真や文章、予定などのデータはネット上（クラウド）のサーバーに保存されます。そのデータを世界各地からユーザーがアクセスして利用しています。クラウドサービスとアプリを利用することでスマートフォンの機能は格段に広がります。

クラウド・ロボティクスは、このスマートフォンの例と同様に、ネットを通じてロボットとクラウド（サーバーやプラットフォーム）を接続してサービスやアプリを利用することで、ロボット単体の能力を大きく向上させるというものです。ロボットと会話した内容やユーザーの嗜好、趣味、誕生日などのパーソナル情報も、クラウドに送れば、ほぼ無制限にデータ保存をしていくことができ、それを分析・解析して便利に活用していくこともできます。

人間は経験したことを伝聞することはできますが、経験を共有することは基本的にはできません。しかし、インターネットでは、いろいろな人の経験や知識をデータによって共有することができ、これを「集合知」と呼びます。仮にPepperが日本中に数千台配置されていて、それらが学んだ知識をクラウドに集めて「集合知」として利用した場合、ロボットが経験したこと、会話した内容、覚えた知識や情報を同期して、共有することができます。アニメの『攻殻機動隊』では、多脚ロボット（多脚戦車）の「タチコマ」が知識や経験を共有することを、「並列化」と表現しています。

クラウドAI ▶ Pepperが世の中にたくさん出れば出るほど、クラウドに蓄積されるデータは増えて、それが集合知となり、個々のPepperに同期・共有することで賢くなっていくという考え方

家庭用Pepperとビジネス用Pepper

家庭用のPepperの本体価格は19万円台と安く設定していますが、クラウドの利用料金や保険料などを合わせると、3年間で総額120万円程度かかります。ずいぶんと高い買い物だという印象を持つ人も少なくないでしょう。小型乗用車程度の金額です。特に、クルマのように目的や用途がはっきりしているものに比べると、コミュニケーションロボットやエンターテインメントロボットが具体的にどれだけ生活の役に立つのかがわかりにくいため、多くの人は費用対効果を考えて「娯楽として購入するには高い」と感じるに違いありません。その思いはおそらく、2015年の発売開始後3年以上が経った今でも変わっていません。一般消費者向け、家庭向け市場では、Pepperの販売や導入はあまり進んでいません。

Pepperには大きく分けて2種類があります。開発者向けPepperと学習（教育）向けPepperもありますが、どちらも特殊なのでここでは割愛します。

ここまで紹介してきたのは一般家庭用のPepperで「一般販売モデル」と呼ばれています。もうひとつがビジネス向けの「Pepper for Biz」（ペッパー・フォー・ビズ）です。Pepper for Biz（法人向けモデル）は月額5万5000円、3年間の総額で198万円となっています。導入した企業が簡単な設定でPepperを使いはじめられるように、「お仕事かんたん生成2.0」が標準でついてきます。仕事の現場では受付をしたり、プレゼンテーションや呼び込みをしたり、観光案内をするなど、さまざまな用途で活用されはじめています。

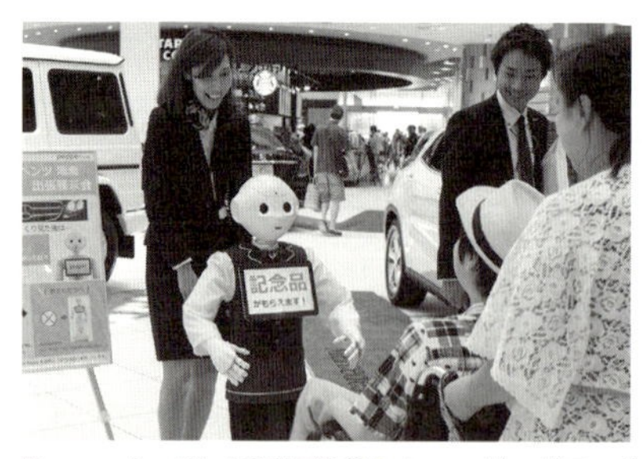

Pepper for Bizの活用例①▶ショッピングモールのメルセデス特設会場で呼び込みを行うPepper。Facebookの友達登録や「いいね！」の数を取得するのには効果が大きい（株式会社ヤナセ）

多国語対応で観光案内するビジネス用Pepper

特に2020年の東京オリンピック開催に向けて、外国人観光客（インバウンド）が増加してくると、施設の案内や観光地の紹介を多国語で行いたいがスタッフを配置できないという状況に対して、ロボットの活用ニーズが高まっています。

京浜急行は羽田空港国際線ターミナル駅の改札口付近で、駅員さん風のPepperを導入する実証実験を行いました。国際線ターミナルの改札口に入ってくる旅客に向けてウェルカムメッセージを伝えます。到着ロビーを経て京急で都内方面に向かう旅客を対象に想定したもので、日本語と英語、中国語での歓迎、おみくじゲームの提供、施設内のカートの利用ルール案内などを行います。

また小田急電鉄では、新宿駅西口改札付近の観光案内と旅行代理店の店頭でPepperを使った短期間限定の実証実験を行いました。小田急電鉄ではロマンスカーなどによる箱根観光を推進していて、それにPepperがひと役買ったのです。おいしそうな食事の写真などをタブレットに表示しながら、英語と中国語で箱根観光を案内していました。

このように、今後も多言語対応をして、観光客が知りたい情報や、観光地の見どころなどを案内する役割を、コミュニケーションロボットは担っていく可能性が高いと言えるでしょう。

Pepper for Bizの活用例②③▶京浜急行羽田空港国際線ターミナル駅で観光客を歓迎し、情報提供するPepper（写真左）。小田急の旅行代理店で箱根の観光案内をするPepper（写真右）

高齢者・介護施設での活用

日本は少子高齢化が年々深刻さを増しています。高齢者の増加に伴い、介護現場ではスタッフの人手不足も加速していて、早急な対応が求められる実情となっています。高齢者介護施設では「レクリエーション」（通称「レク」）の時間が設けられています。ホールのような場所に集まって、みんなで歌を歌ったり、健康体操をしたり、クイズをしたり、なかには楽器を演奏したりするところもあり、高齢者たちにとって元気と活気にあふれた時間となっています。その司会進行役、MCをロボットが務める事例が増えています。

一方、レクリエーションの企画を考えながら、その時間にも見守りの人員を付けるなど、施設スタッフにとっては大きな負担になっています。そこを少しでもICTの支援で効率化しようと、ロボットが健康体操をリードしたり、大画面と連携してクイズ大会を行ったりなどして、高齢者たちの健康管理に役立てています。

健康体操や合唱を先導するPepper

アプリ（ソフトウェア）とサービスで言えば、ベンチャー企業のフューブライト・コミュニケーションズが開発したPepper用のアプリが知られています。

●「川島隆太教授のいきいき脳体操アプリ」（脳のトレーニングゲーム）

仙台放送では、2004年から脳のトレーニング番組「川島隆太教授のテレビいきいき脳体操」を製作しています。これはテレビを見るだけで脳が活発に働く世界初のテレビ番組と謳われ、それをPepperに組み込み、Pepperがリードしてレクの時間にみんなで脳体操をしようというアプリが「川島隆太教授のいきいき脳体操アプリ」（脳のトレーニングゲーム）です。

●「りつ子式高齢者レクササイズ」（身体を動かす体操アプリ）

もうひとつは、高齢者のための健康体操をテーマにしたロボアプリ「りつ子式高齢者レクササイズ」です。余暇問題研究所の山崎律子先生が考案した高齢者レクリエーションメソッドをもとに、Pepper を使ってデイサービスなどの比較的軽度の要介護者を対象として、リズム体操、歌いながらの体操、脳を使いながらの体操などのメニューが備わっています。「川島隆太教授のいきいき脳体操アプリ」には「りつ子式高齢者レクササイズ」が含まれています。

これらを見ても気づくことは、高齢者介護への学術的な検証が、ロボットを通じて積極的に行われるようになってきたことです。脳や健康についてはまだ研究段階のことが多く、高齢者施設では実際の課題として抱えているため、研究者、高齢者施設、ロボット開発者が協力して、実際の効果を検証し、エビデンスの蓄積を行っています。

●「健康王国レク」

エクシングの高齢者向け音楽療養コンテンツ「健康王国」もそのひとつです。エクシングはカラオケの「JOYSOUND」で知られる会社です。高齢者みんなでカラオケを歌ったり、音楽に合わせて体操をしたり、懐かしい昭和のニュース映像を見たり、クイズやあやとり、おりがみなどのコンテンツも用意しています。この「健康王国」の主要機能を、ロボットであるPepperと連携させたサービスが「健康王国レク」です。実際には、スタッフ、ロボット、スマートフォンやタブレット、インターネット上のクラウドサービス、コンテンツ提供システムなどが連携したしくみです。まさにクラウド・ロボティクスの導入事例のひとつと言えるでしょう。

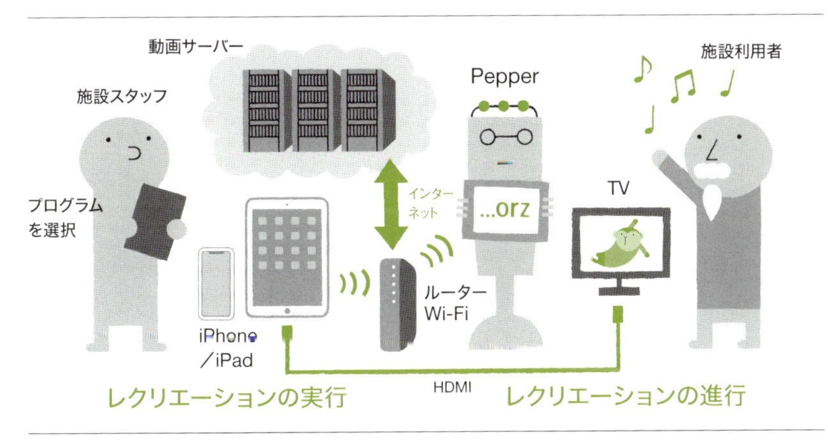

Pepperの高齢者向け活用例①
「健康王国レク」のPepperを活用したしくみのイメージ

高齢者とのおしゃべりで認知症予防

エクシングは高齢者との対話機能に特化した「健康王国トーク」も発売しています。Pepperの顔認識機能を使って、施設利用者ひとりひとりの顔と名前を覚えさせることができます。Pepperが顔認識によって個人を覚えることで、個別のシナリオで対話したり、個々人のスケジュールに合わせておしゃべりしたり、食事や入浴の時間などを会話の中で知らせたりすることができます。

「ただのおしゃべり？」と思うかもしれませんが、高齢者にとっておしゃべりは健康のバロメーターのひとつです。特に何かを思い出しながら積極的に会話をすることで、認知症の予防につながるという説もあります。また、介護現場のスタッフにとっては、ロボットが高齢者とおしゃべりしてくれている間に、他の仕事に従事することができます。では、ロボットとどんな話をするのでしょうか。

グッドツリー社が開発した、ロボットと「ミッケルアート」を活用した例を紹介しましょう。ミッケルアートとは、静岡大学発ベンチャー企業のスプレーアートイグジン社（代表は橋口論氏）が開発した、高齢者が会話を弾ませるコミュニケーション方法「回想法」の一種です。

Pepperの胸にあるタブレットに昔の懐かしい風景画を表示すると、高齢者でなくとも、それについて話したくなります。筆者も幼少を高度経済成長期に過ごしたので、昔の風景や昭和の写真を見ると感慨深いものがあります。そんな絵を高齢者に見てもらうことで、当時のことを語り合って話を弾ませようと考えたアプリが「ケア樹あそぶ for Pepper」（グッドツリー社）です。

次ページのような「ミッケルアート」を表示することで、昭和の思い出、たとえば大家族でちゃぶ台を囲む風景や、渓流の滝に飛び込んで遊ぶ子どもたちの風景が遠い記憶を呼び覚まします。それが会話の種となって、ロボットと高齢者の会話が弾み、認知症予防につながるのではないかと考えられています。コミュニケーションロボットと高齢者の相性はとても良いことから、今後も導入が進みそうです。

Pepperの高齢者向け活用例②▶昔の風景画や写真をもとに、高齢者とロボットの会話を弾ませることで、認知症の予防に役立てる実証実験

家族に寄り添うコミュニケーションロボット

コミュニケーションロボットはPepper以外にも、シャープの「RoBoHoN」(ロボホン)、トヨタ自動車の「KIROBO mini」(キロボ ミニ)、ソニーモバイルの「Xperia Hello!」(エクスペリア ハロー) など、数多く発売されています。

これらの製品に共通してみられる特徴は、ロボットはユーザーと会話することによって、何らかの価値を生み出すことです。天気予報やニュース、スポーツの結果、交通情報、スケジュール管理、料理のレシピのように生活に役立つ情報を提供するだけでなく、しりとりや簡単なゲーム、占いや運勢など、癒やしやエンターテインメント要素のあるアプリが用意されているものもあります。

Xperia Hello!は、家族向けに特化しています。コミュニケーション、見守り、インフォテインメント (情報提供) の3つが代表的な機能です。家族全員を顔認識して特定することができ、伝言メッセージやLINEの通知、交通情報などは特定の個人だけに対して通知することができます。RoBoHoNやKIROBO miniは、持ち運べるロボットとして、一般消費者といつも一緒にいて家族のように寄り添うことを主眼にしているのも特徴的です。

RoBoHoNは、開発者がアプリやサービスを開発しやすいように、アプリ・デベロッパーの認定制度を実施したり、ソフトウェア開発キット（SDK）を配布したりしています。また、認定パートナーになってRoBoHoNを使ったビジネス向けアプリやサービスを開発すると、シャープが開催する法人向け展示会に出展して紹介できるなどの特典があります。シャープがRoBoHoNのビジネス活用と普及の活動を推進しています。

また、これらのコミュニケーションロボットとは別に、ビジネス用途でも活用がはじまっているMJIの「Tapia」（タピア）、ヴイストンの「Sota」（ソータ）、英会話学習に特化したAKAの「Musio」（ミュージオ）などもあります。

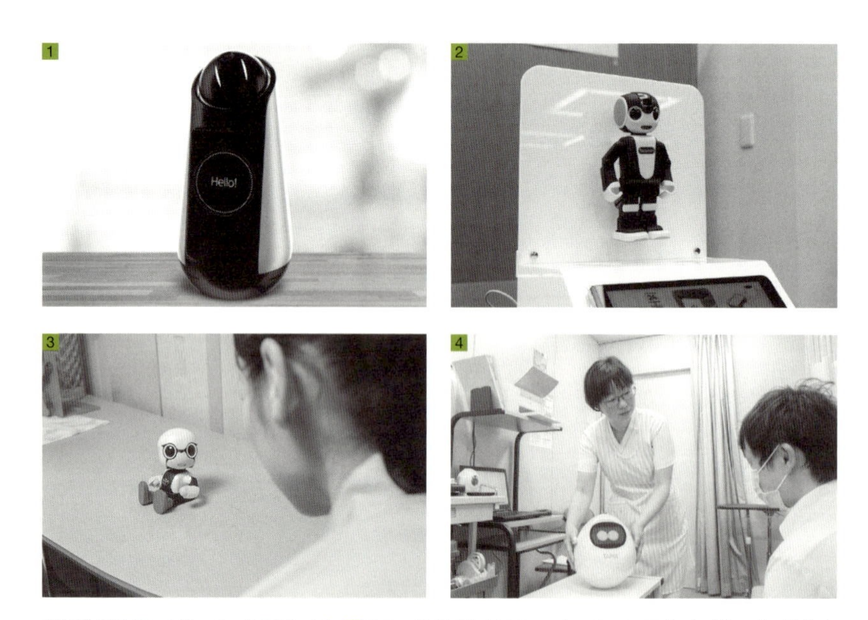

さまざまなコミュニケーションロボット▶ 1 ソニーモバイルのコミュニケーションロボット「Xperia Hello!」 2 RoBoHoNのビジネス向けサービスの例。RoBoHoNとタブレットが固定されてひとつのユニットになっている。「近くのコンビニ」「温泉のご案内」「朝食のご案内（ENGLISH）」などのメニューが並ぶコンシェルジュサービス（シャープマーケティングジャパン） 3 手のひらサイズのコミュニケーションロボット「KIROBO mini」（トヨタ自動車）。ユーザーに寄り添い、思い出を共に積み重ねていくパートナーとしての位置づけが強い製品 4 タマゴ型のコミュニケーションロボット「Tapia」。写真は、会話できる機能を使って、白内障の手術や入院に備えた注意を患者に対して説明するロボット「パラメディ・タピア」。ロボットはMJIが、システムはシャンティが開発（兵庫県明石市のあさぎり病院での実証実験にて）

移動するロボット

新しいタイプのロボットに必要不可欠な「移動」技術

産業用ロボットが工場を中心に人間の作業を代替し、精度と繰り返しでは人間の能力を超えた作業をしています。しかし、現状では知的とは言えません。一方、コミュニケーションロボットはまだまだ精度は低いものの、会話ができるように開発が進められています。会話によって、個人が必要とする情報を的確に提供するには知性が必要です。いつの日か、産業用ロボットとコミュニケーションロボットが相互の能力を補完し合った、新しいタイプのロボットができれば、確実に次のステップへと進むと考えられます。

しかし、もうひとつ重要な要素が欠けていることに気づいたでしょうか？

それは「移動」です。産業用ロボットはほとんどが固定式で、移動するための機構は持っていません。Pepperには「オムニホイール」という3つのボールを使って移動する機構が付いていますが、実際には会話する人との距離を調整する程度にしか使われていません。というのも、移動するにはPepperの身長が高いので、人や物にぶつかってロボットが転倒するリスクがあるためです。また、オムニホイール機構は360度、どの方向にも移動することができますが、段差に弱く、Pepperの場合はわずか2 cmの段差も越えられません。一部のショールームや住宅展示場などでは、Pepperが決められた場所を移動しながらプレゼンテーションをするシステムが実践されていますが、一般的とは言えません。

このように、「移動」は現在のロボットには難しい分野のひとつです。とはいえ、進んでいないわけではありません。たとえば、世界中で最も家庭に入っている自律型ロボットは「ルンバ」だと言われていますが、ルンバは移動できます。

自律型掃除用ロボットは業務用でも実践導入がはじまっています。サイバーダインやソフトバンクロボティクスなどが実証実験を行ったり、実際に製品の販売をはじめたりしています。ただし、現在の掃除用ロボットも段差には弱く、空港や駅などの広くて段差のない施設の、決められた範囲内のゴミを集めたり、拭き掃除を行ったりするに留まっています。

業務用で導入がはじまる自律型掃除用ロボット▶ソフトバンクロボットワールド 2017 で展示されたブレイン社のスクラバー（床洗浄機）「ICE RS26」

自動運転車につながる自律移動型ロボットの開発

自律移動のしくみはいくつかあります。決められたルートを移動するロボットの場合、白線やラインを検知してその通りにトレースする方式（ライントレース）、床に貼ったマーカーを認識しながら、全体のマップと比較し、自分の位置を特定してコースを周遊する方式（マーカー）、さらにレーダーセンサーを使って周囲の地図を瞬時に作成し、障害物も検知しながら、全体マップと比較して移動する方式（SLAM）などがあります。

また、宅配ピザに代表されるようなデリバリーも、ロボット化が研究・開発されています。すでに米シリコンバレーなどの一部の地域では実用化がはじまっています。小型のデリバリーロボットが自律走行でユーザーが待つ目的地まで、主に歩道を走行して商品を配達します。

開発している企業としては、Robby Technologies 社や Starship Technologies 社が知られています。Starship Technologies 社の発表によれば、すでに 20 か国、100 以上の都市でテストを繰り返していて、10 万マイル（16 万 km）以上を走って、配達の途中で 1500 万人以上に遭遇しているとしています。これだけ長い時間走り続けていても、ロボットが事故を起こしたり、盗まれたりすることはないというデータも出ています。もちろん、きちんと信号も認識して交通ルールを守って走行しています。

自由に動ける自律移動型ロボットを開発するには、自動運転車と同じ技術が必要になります。逆に自動運転車の場合は、自動車の技術よりはロボティクスの技術が重要と言われています。レーダーセンサーやソナーなどで周囲のクルマや人を検知し、GPS や IMU（慣性計測装置）などの測位システムと連携して、自分のいる場所を特定しつつ、マップ上で目的地までのルートをトレースして移動していきます。それらの演算やトレーニングに、ディープラーニングで機械学習した AI システムが利用されています。

実用化がはじまった自律型デリバリーロボット▶ Robby Technologies 社の「Robby」。実際にデリバリーを行っている

医療分野のロボット

手術によるリスクを軽減するロボット

医療分野のロボットとしては、腹腔鏡下手術用ロボットが有名です。ロボットアームの初期モデルの登場は1950年代と、とても歴史が古いのが特徴です。

精密な技術が必要とされる手術を、医師が遠隔操作するロボットで行うことで成功率を上げます。この技術を使うことで、従来は大きく腹部を切開していた手術も、小さな穴を開けてそこからロボットハンドを使って内部の外科手術が行えるようになります。手術によるリスクを軽減し、切開の傷を最小限にとどめ、手術後の回復期間も大きく短縮させることができます。

このように、患者に対する身体的な負担を軽減する手術を「低侵襲（ていしんしゅう）手術」と呼び、それを支援する代表的なロボットが「da Vinci」（ダビンチ）サージカルシステムです。医師に代わってロボットが手術をするのではなく、医師が操作して細かな作業を拡大カメラや内視鏡を使いながら手術を行います。ダビンチサージカルシステムが医師に高解像度の3D画像や拡大された視野を提供し、細径化された内視鏡と関節機能を有する鉗子（かんし）（はさみ、ピンセット類）など、専用にデザインされた器具ハンドを用いることで、精緻な剝離操作や再建操作が可能になるように設計されています。日本では2009年に厚生労働省が薬事承認をしています。

ダビンチサージカルシステムには数種類がありますが、2014年6月30日時点で約3,100台（米国2,153台、欧州499台、アジア322台ほか）のシステムが全世界の病院に設置されていると発表されています。2014年7月から日本でも直接販売を開始していて、183台のシステムが導入されているとのことです。

ロボットサッカーが人間を超える日

サッカーを題材にロボット工学と人工知能の融合・発展を目指す

国際的なロボット競技の大会「ロボカップ」(RoboCup) が、毎年世界各地で開催されています。2017年は名古屋で「ロボカップ2017名古屋世界大会」として開催され、約13万人が来場しました。

ロボカップは、ロボット工学と人工知能の融合・発展のために、自律移動ロボットによるサッカーを題材として日本の研究者らによって提唱され、第1回大会が1997年に名古屋で開催されました。すなわち、2017年の名古屋大会は、大きな国際大会に成長して、20年ぶりに発祥の地に凱旋したのです。

世界チャンピオンチームにロボットが勝つことが目標

ロボカップにはひとつの目標があります。それは西暦2050年「サッカーの世界チャンピオンチームに勝てる、自律型ロボットのチームをつくる」というものです。現在の二足歩行ロボットは歩くのが精一杯ですから、人間の世界一のサッカープレイヤーと互角以上にサッカーをするなんて夢と言ったほうがよいほど遠い目標です。ただ、遠くてもゴールを目指し、それに向かって人工知能やロボット工学などの研究を推進することで、さまざまな分野の基礎技術に波及するだろうという考えに基づいています。

では、実際に2050年までにロボットがサッカーで人間に勝つことができるでしょうか。ロボカップにおける、ロボティクス技術の現状を見ていきましょう。

二足歩行ロボットで戦うヒューマノイドリーグ

まず、SF映画やコミックのように人間と同様に二足歩行で、人間と同等に走るサッカーロボットのイメージは、現在の技術ではまだ抱けません。現状を見ると、二足歩行型のヒューマノイドロボットはノロノロと歩いて進むのが精一杯で、ロボット同士がぶつかればすぐに転倒してしまいます。ぶつかるどころか、ボールを蹴るたびに転倒したり、ボールから離れた場所で足踏みをしているだけでも転んでしまったりするような状態です。しかし、それでもここ数年の進化は目を見張るものがあります。ディープラーニングによってボールの認識率は飛躍的に向上し、遅いながらも戦略どおりに動けるようにもなってきました。

人間を模した二足歩行ロボットでサッカーをやるヒューマノイドリーグは、ロボットのサイズによって、キッド、ティーン、アダルトの3つに分かれています。小さいロボットほど速く動くことができます。

ヒューマノイドリーグのロボット▶ 1 40～90cm以下のロボットで競うヒューマノイドリーグのキッドサイズ（Kid Size）。1チーム4台で競技する　2 カメラと認識技術の発達で、ヒューマノイドロボットも進化している　3 ヒューマノイドリーグのティーンサイズ（Teen Size）。80～140cmのロボットが1チーム3台で競技する　4 ヒューマノイドリーグのアダルトサイズ（Adult Size）。130～180cmのロボットによる1対1のサッカー競技。転倒による破損を防ぐため、ロボット1体に1人の介添者がつく。介添者がロボットに触った場合は、一定時間、ロボットと介添者はともにフィールドの外に出なければならない

サッカー専用にデザインされた自律型ロボット

では、サッカーロボットの進化を、段階を追って想像してみましょう。

まず、サッカーロボットを人間の姿にこだわらず、「ゴールにボールを入れる競技に適したロボット」と位置づけた場合、人型ロボットが適した形態とは言えません。たとえば、スピーディに移動するには、二足歩行よりも車輪の形態のほうが適しています。この視点から、ルール内で専用ロボットをデザインして競技を行うというカテゴリーがロボカップにはあります。それがロボカップのサッカー小型リーグと中型リーグです。自律的にボールを追って動作し、ドリブルやパスもできます。スピーディな展開やチームごとの戦略・戦術的な違いなどもはっきりと見られる競技になっています。

スピード感あふれる小型リーグ

小型リーグの最大の魅力はスピード感と戦術です。1チーム6台、合計12台がゴルフボールを使って、相手ゴールにボールを入れて得点する競技です。ロボカップのすべての競技を通じて、小型リーグのロボットは最も速く、機敏に動作します。基本的にはサッカーのルールなのでわかりやすく、戦術的に6台のロボットが連携して動くので、観客にもとても人気のあるリーグです。ロボットは4つの車輪を使って360度、全方向に移動することができます。ボールははじいて飛ばし、ボールを浮かせるチップキックを使うチームもあります。

各ロボットは人間が操縦しているのではなく、各チームのAIコンピュータによって動作しています。小型リーグの最大の特長は「ビジョンシステム」を使っていることで、ビジョンシステムと各チームのAIコンピュータが通信することでロボットの動作を成立させています。ピッチの上に設置された4台のカメラが、フィールドの映像をレフェリー（運営）のビジョンシステム（コンピュータ）に送ります。カメラが捉えるのは1秒間に60フレームの動画像で、ビジョンシステムはこの動画を解析してすべてのロボットの位置と向きを認識しています。その情報が両チームのAIコンピュータに送られ、自チームのロボットに対して個々に指令が瞬時に送られるしくみです。

小型リーグのロボット▶ 1 小型リーグは直径18cm、高さ15cm以下のロボットを使い、1チーム6台で競う。ボールはオレンジ色のゴルフボールを使う。最もスピーディな競技　2 ビジョンシステムの画面。ピッチの上に設置されたカメラが捉えた画像を確認できる

各プレイヤーがパソコンを背負った中型リーグ

中型リーグは、幅52cm四方×高さ80cm以下に収まる自律型ロボットが、1チーム5台で競技します。ボールは人間のサッカー用5号球を使用します。ドッジボールのようなサイズです。小型リーグのようなビジョンシステムではなく、各ロボットの本体にカメラやセンサー類、動くための計算や制御に使うノートコンピュータを搭載しています。

中型リーグの移動には「オムニホイール」が使われています。3つのオムニホイールで構成され、前後左右、斜め、転回など、全方位に進行したり、素早く向きを変えられたりするのが特徴です。ロボットは周囲のほかのロボットと位置関係を共有しながら戦略的にプレイし、サッカー競技では最も迫力のあるリーグです。

中型リーグのロボット▶ 1 中型リーグのサッカー競技のようす　2 中型リーグのロボット本体の例。このロボットのカメラはボディの上部に「上向き」に設置され、お椀型のミラーに映った全方位（360度）のようすを映像として捉えている

ロボットとAIの未来を育てる

サッカー競技ではじまったロボカップですが、現在では「未来を創るイノベーションの祭典」として世界を転戦するイベントになっています。「未来を創る」とは大袈裟な話ではなく、ロボットやAIの研究者たちがサッカー競技を通じて創意工夫し、自己研鑽しながら技術を高め合っていくことが根底にあるからです。お互いの技術を隠すことなく公開し、その技術を翌年の競技に活かして、全体がステップアップしていこうという考え方です。ロボカップの出場者にインタビューすると、みんな口を揃えて「競技に勝つことが目的ではない」と言います。

ロボカップには、人工知能研究やロボティクスで有名な大学のチームも多数参加しています。また、次世代のサイエンティストの育成として、19歳以下のジュニア部門も設けられています。観客として大会に足を運んだり、実際に参加したりすることを通して、子どもや若者たちがAIやロボティクスに興味を持ち、自らもチャレンジしたいという気持ちの育成が大切だと考えられています。

また、現在のロボカップではサッカーだけでなく、大規模災害現場でのロボット活用をテーマにしたレスキューリーグ、コンピュータ画面上で行うシミュレーションリーグ、そして次世代の技術の担い手を育てるジュニアリーグなど、さまざまなリーグやカテゴリー、組織で運営されています。また、ロボカップは国際規模の大会ですが、日本国内でも気軽に参加できるロボカップジャパンやロボカップジュニアジャパンも開催されています。

その他のリーグのロボット▶ 1 災害対策ロボットが災害現場を探索して救命活動を行うことを想定したレスキューリーグ　2 19歳以下のメンバーだけが参加できるジュニアリーグ。次世代のサイエンティストの育成を目指す

レスキューリーグは、時には遠隔操縦、時には自律行動を行う機構を併せ持ち、カメラ、温度センサー、二酸化炭素センサーなどを搭載したロボットで競技を行います。問われるのは主に、ロボットの障害走破性、被災者の探査・発見能力などです。凹凸のある災害現場や回転するパイプの障害物を乗り越えて通行しなければいけません。押し型・引き型のドアの開閉や通り抜け、触る、回る、はずすなど、さまざまなケースに対応する汎用能力も問われます。

人間vsロボットの結果は？

実は、すでに人間vsロボットのサッカー競技は、毎年エキシビションとして行われています。ロボカップの競技終了後、中型リーグの優勝チームとロボカップの運営に携わる即席メンバーとでサッカーの試合が行われています。ロボカップ2017名古屋世界大会でもこのエキシビションは行われて、3対1で人間チームが勝利しました。まずは中型リーグが人間のチームに常に勝利し、人間チームがそれなりのメンバーで挑むような状況になる日を夢見て、ロボットの技術の進歩を応援していきたいと思います。

ロボカップの目標は「ロボットがサッカー競技で人間を超える」というとても具体的なものです。もちろん現時点では遠い夢のような目標ですが、実現できないとは誰も言い切れませんし、いつかはその日がやって来るでしょう。そのために、小型リーグや中型リーグのように、競技に適した身体をデザインしたロボットで行うアプローチと、人間を模したヒューマノイドで進化していくアプローチの両方が必要です。ロボカップは現実的な方法で着実に進化しようとしています。

もちろん今後の課題は山積みです。

たとえば、もし人間のプロサッカープレイヤーと真剣勝負でのサッカーが実現するとすれば、とても重要な要素が現在は欠けています。それは、ぶつかっても人間のプレイヤーが怪我をしないような柔らかいボディをロボットは得る必要があることです。現在のロボットのように硬いボディでは、ボディコンタクトが重要なスポーツで、人間と真剣に競技することはできません。

天才ライダー vs ロボットライダー

オートバイを運転する自律型ロボットの挑戦

2017年に開催された東京モーターショー。ヤマハ発動機（以下、ヤマハ）の展示ブースには多くの報道陣が詰めかけ、技術展示の発表を固唾をのんで見守っていました。天才ライダーとロボットライダーがサーキット走行でタイムトライアルを行い、その結果とともに技術の発表展示が行われるからです。

天才ライダーとは、オートバイレースの世界選手権「Moto GP」のトップライダーとして有名なバレンティーノ・ロッシ選手のこと。そのロッシ選手にヤマハが開発したロボットライダーの「MOTOBOT Ver.2」（以下、モトボット）が、サーキット走行のタイムトライアルに挑んだようすが動画で公開されたからです。

モトボットは、人間用のオートバイを運転（ライディング）するためにつくられた、ヤマハが開発した自律型ロボットです。オートバイは市販用のものをそのま

タイムトライアルに挑んだモトボット▶ 1 コーナリングするロッシ選手（左）とモトボット（右）（ヤマハ公式ホームページより） 2 「MOTOBOT Ver.2」。オートバイは人間用のもので、モトボットはバイクに乗っているロボット部分のみ。自律的に走行する

ま使用していて、モトボットは人間と同様にアクセルやブレーキ操作、ギアチェンジ、体重の移動などでオートバイを操縦します。

このモトボットは２世代目のもので、初期型は転倒を回避するために補助輪をつけて走行していました。オートバイは車体を傾けるように倒し込んで（リーン）、コーナーを曲がります。単純に表現すると、その角度（リーン角度）が深いほど、高速でコーナリングができますが、補助輪があると深い角度でリーンすることができません。

新型のモトボットは補助輪をなくし、サーキットを高速で走行することにチャレンジし、目標としていた「最高速度 200km／h オーバー」で走行することに成功しました。そこで次の目標として、天才ライダー・ロッシ選手との勝負に挑みました。同じサーキットコース、同じオートバイでのタイムトライアルです。その目標はとてつもなく大きな、まるで巨大な壁です。果たしてロボットライダーは天才ライダーのタイムを上まわることができたのでしょうか？

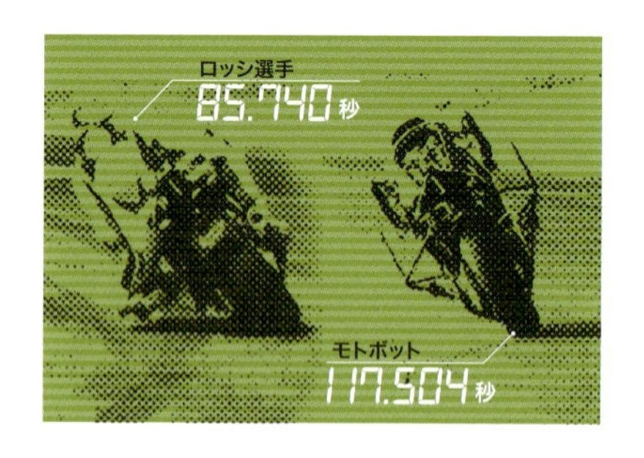

結果を見れば、ロッシ選手の圧勝でした。タイムとしてはまだまだ及びません。ちなみに、ヤマハの開発担当者に聞くと、モトボットは最大で 40 〜 45 度くらいのリーン角度でコーナリングをしていますが、ロッシ選手は最大 50 度くらいでライディングしていると言います。約 50 度は使用したオートバイのリミットであり、ロッシ選手はリミットのギリギリまでオートバイのポテンシャルを引き出して走行していたと言えるでしょう。

驚愕のロボット技術

しかし、ロボットライダーでの走行自体が人類にとって未知の領域であり、その領域にあって、タイム的にこれだけトップライダーに迫れたのは善戦したと言えるのではないでしょうか。しかも、その後の取材でロボット技術として驚くべきことがわかりました。モトボットには「目」がないのです。

モトボットはボディに6つのアクチュエーター（駆動装置）を搭載しています。フロントとリアブレーキ、アクセル、クラッチ、シフト、ステアリングを操作するアクチュエーターです。バランスを取るのはステアリングのアクチュエーターです。走行時に必要な位置情報は高精度なGPSシステムを使っています。しかし、GPSでは高精度といえども粗い情報しか得られません。それを補うためにIMU（慣性計測装置）を使ってcm単位で位置を割り出しています。一般にIMUは、ジャイロセンサーや加速度センサーなどを組み合わせ、GPSデータと照合することで精度の高い位置情報を割り出します。

MOTOBOT Ver.2 ▶ 1 上半身　2 腕　3 脚

さらに驚いたことに、モトボットはカメラを使用したビジョンシステムを搭載していません。すなわち、位置情報だけで自分の位置を推定し、高速でコースを駆け抜けていたのです。事前に走る対象のコースとして外周と内周の構成値データをインプットし、それをもとに指定した走行速度で走るためのデータを与えると、モトボットはコンピュータが計算した軌跡に沿って高速に走行するしくみなのです。

人間の感性によるライディングの領域を目指して

ヤマハの担当者は「サーキット走行に特化する仕様なので、コース通りに正確に走行するのに必要な技術だけのシンプルな構成にしています。そのため、路面に石ころなどの障害物があっても対応はできません」「現時点でも、モトボットはコーナリングの立ち上がりでステアリングがぶれるくらい限界に近い走りが実現できてはいます。しかし、それでも人間の感性によるライディングの領域にはまだ踏み込めてはいません」と語ってくれました。

ビジョンシステムを搭載することで、その領域に入ることができる、そんな伸びしろがまだまだあるのではないか、そう期待せずにはいられません。

モトボットの動画の中では、モトボットからロッシ選手への言葉として次のようなセリフが語られています。

> 「あなたの背中が見えたが、まだ遠かった。
> あなたをもっと知れば、もっとあなたに近づけるだろうか?」

倒れない自律走行バイク「MOTOROiD」(モトロイド)

もうひとつの驚愕の新技術

2017年の東京モーターショーのヤマハのブースでは、世界をアッと言わせる新技術の展示がもうひとつありました。倒れずに自律走行するオートバイ「MOTOROiD」(モトロイド)です。YouTubeに投稿した筆者撮影のビデオ動画は130万回以上再生され、海外からも多くのコメントが寄せられました。

ステージにはヤマハ発動機の社長柳氏(当時)が登壇しています。傍らのモトロイドに「Stand Up!」と指示すると、モトロイドはバランスをとって直立し、自らを支えていたバイクスタンドをたたみます。すなわち、オートバイは2輪で自立した状態です。柳氏がモトロイドから離れて「Come on!」と指示すると、モトロイドはゆっくりですが、するすると柳氏のもとに直立した状態で移動します。近づいてきたモトロイドに片手を伸ばして手のひらを広げて「Stop!」と指示すると、柳氏のジェスチャーを認識して直立した状態で止まります。柳氏がモトロイドを横から押しますが倒れません。「Thank you モトロイド、You can go back」と話しかけると、モトロイドは後進して元の位置に戻ります。

自律走行するオートバイ MOTOROiD

転倒せずに自立するしくみ

モトロイドはバイクスタンドを上げても倒れません。最も不安定と言われる二輪車の低速走行時にも、自立する技術を実現することで転倒を防ぐことができる、そしてライダーとの一体感も実現したいという思いの結晶です。同社はこれを「AMCES（アムセス）」（自律バランス制御機能）と呼んでいます。そして、モトロイドは自律的に前進・後進が可能で、音声認識とカメラによるジェスチャー認識技術も搭載しています。人の顔も認証することができるので、オーナーの指示にのみ反応することができると言います。顔やジェスチャーの認識には、ディープラーニングなどの AI 技術を導入しています。

この技術は、開発をはじめてからなんとわずか８か月間でできあがったと言います。AMCES という技術を、ふらつき防止や後輪操舵、一体感向上などのために活かしたいという考えは 10 年くらい前に一度検討したことがあったものの、あらためて「人とマシンの一体感を向上させるにはどうしたらよいか」というテーマで検討をはじめ、2017 年２月にチームとして動き出し、止まっていたり低速でも倒れたりしない自立技術として AMCES を活用したと語っています。

ディープラーニングなどの AI 技術やセンサーの精度、高速処理などの技術革新が、ヤマハの技術力を後押しして、短期間での開発が実現したと言えるのではないでしょうか。これもまた、指数関数的に加速する技術革新の片鱗なのかもしれません。

MOTOROiD の自律バランス制御機能▶ 1 バランサーの役割をする３本の大型バッテリーを振り子のように動かしてバランスを制御し、転倒を防止している　2 アクチュエーターは車体の前部に大型のものがひとつ、ステアリングにはフロントフォークの上部に回転質量で 150kg 程度を動かせるもの、ほか、サイドスタンドなどにも使っている

タオルをたたみ、サラダを盛り付ける「マルチモーダルAIロボット」

人間のような動きの双腕五指

「2017国際ロボット展」の会場、デンソーウェーブ（以下、デンソー）のブースには、世界初のロボットをひと目見ようと多くの人が集まっていました。

アームを2本装備したロボットを「双腕ロボット」と呼びますが、デンソーは「双腕で5本の指を持ったロボットアームに、ディープラーニングと予測学習を使って学習させた結果、タオルをたたみ、サラダの盛り付けができるようになった」と発表し、この日、その技術と学習の具体的な方法を公開したのです。

ロボットの名称は「マルチモーダルAIロボット」。双腕と五指の構成ですから、ロボットとはいえ、まるで人間のような動きで、観衆が見守る中、タオルを見事にたたみました。タオルを無事にたためたことに加えて、その柔らかでスムーズな動きにも多くの観衆の注目を集めていました。

マルチモーダルAIロボット▶デンソーのマルチモーダルAIロボットを見ようと集まった人たち。報道陣向けの発表会だったが、一般の来場者も参加できた

ロボットの苦手領域

「現在の技術力を持ってすれば、タオルをたたむくらい簡単なことじゃないの？」と感じる方も多いでしょう。ところがそうではないのです。

前述のとおり、ロボットは決められた同じ作業を繰り返すのが得意な反面、現状を把握して、対応していく能力が低いのです。タオルはいつも同じ形をしているわけではありません。同じように置いても微妙に異なります。また、つまみ損ねると大きく形状が変わってしまいます。すなわち、はじめからタオルが置かれた状態が正確ではない、たたみながらタオルの形状がその都度変わっていくなど、その場の状況に合わせた作業は、今までロボットにはできなかったのです。私たち人間はタオルをたたむことを簡単にやってのけていますが、タオルの全体像を知り、それをたたんだ状態を理解し、どこが持ちやすいか、今どのように折れた状態なのかなどを瞬時に判断し、現状のタオルの状況に合わせて作業しているのです。今までのロボットがそれをやるのは困難でしたが、マルチモーダル AI ロボットは途中までたたんだ状態からはじめても、タオルをたたむことができます。

また、ロボットが比較的苦手なのは、柔らかかったり、グニャグニャして形状が決まっていなかったり、変わってしまう物体です。タオルもサラダもそういう材質です。ほかにケーブルやロープなども苦手で、物体に合わせて握る力を手加減することが必要な作業は、ロボットにとっては難しい作業なのです。

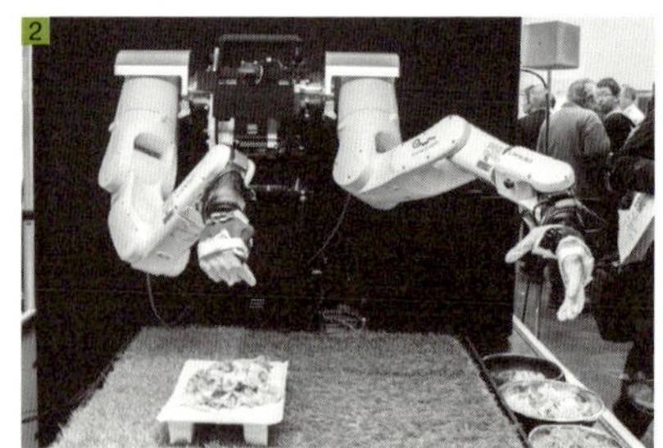

タオルをたたみサラダを盛り付けるロボット▶ 1 マルチモーダル AI ロボットがタオルをたたんでいるところ 2 タオルをたたんだ後、同じロボットがサラダの盛り付けも披露した。ひとつの作業専用ではなく、複数の作業に対応することを「汎用性が高い」と表現する

マルチモーダルの意味

ロボティクス業界では「マルチモーダル」（マルチモーダル・インターフェース）という用語が注目されています。「modal」（モーダル）の日本語訳は難しいのですが、ここでは「感覚」や「操作方式」を表しています。ロボティクスで言えば、「感覚」とは、視覚や聴覚、触覚など、すなわちマルチモーダルとは、視覚や聴覚、触覚などの複数の感覚を持ったロボティクス技術ということになります。わかりやすくパソコンを例にすると「操作方法」です。キーボードやマウス、タッチ画面、タブレットとペンなど、さまざまな入力方法を持つデバイスも広義のマルチモーダルだと言えます。

デンソーのマルチモーダル AI ロボットアームにおける「マルチモーダル」の意味は、画像、角度、力覚、速度など、複数の要素の連携を意味しています。ニューラルネットワークから見ると、これらの要素をデータ「一式」として認識・判断し、その結果、ロボットが何をするべきかを導きます。

ロボットの汎用性

前述のとおり、製造工場などで使用されている通常の産業用ロボットアームは、専用のハンドを装着して、決められた作業を高速に正確にこなすことが求められています。すなわち、特定の業務をこなすための専用ロボットです。デンソーが手がけてきたこれまでのロボット製品もそうでした。

一方、人間の腕と指の能力の強みは、多様なことができることです。モノを触って確かめたり、つかんだり、こすったり、ねじったりできる、すなわち「汎用性」です。産業用ロボットアームで実績を積んできたデンソーのような企業が、マルチモーダル AI ロボットのような汎用性を重視したロボットアームの研究開発を行う点もとても興味深いと言えるでしょう。

ロボットの学習（ティーチング）

一般に、ロボットが行う動作は「ティーチング」という工程で学習させます。ティーチングを行う専門家を「ティーチングマン」と呼びます。一般には、ロボットの動作をプログラム・コードで指定する方法がとられてきました。このティーチングという作業にはとても時間がかかり、ロボットに作業させる内容にもよりますが、3か月〜1年近くかかるものもあります。

ここ数年は人間が手でロボットアームを動かして、ロボットはその状態を記憶してその通りに動作する「ダイレクト・ティーチング」という手法も出てきました。さらに最近は、このティーチングにディープラーニングを導入することで、学習期間を短くしたり、応用力や自律性を付加したりしようという試みが進んでいます。マルチモーダルAIロボットもディープラーニングを使って、人間のそぶりを覚え、完成した状態をイメージする、とても斬新な学習方法を用いています。

まず、汎用のVR（Virtual Reality　バーチャルリアリティ）ゴーグルと多くのセンサーを内蔵したグローブを装着した作業者（ティーチングマン）が、ロボットの視点で画像を見ます。作業者の目の前には、ロボットの目の前に置かれているタオルが見えていることになります。作業者がVRゴーグルの中で見ているタオルを折りたたむと、手や指の動きがセンサーを通じてロボットに伝えられます。ロボットは作業者の動きに合わせて、まったく同じ動きをして目の前のタオルを取ってたたみます。この一連の作業がダイレクト・ティーチングとして記憶されます。また、もうひとつ重要なのが、VRゴーグルで見ている画像や映像から、ロボットが作業のイメージをディープラーニングしていくということです。

すなわちロボットは、目の前にあるタオルがどのような状態で、最終的にどのようにたたんだ状態になれば完成か、イメージをCG画像でつくり出します。ロボットはその画像と同じになるように、また、今タオルをたたんだら、次はタオルがどのような状態になり、次はどのようにたためば完成した画像に近づくだろうということを予測して作業しています。現状を把握し、自分がつくった完成のイメージに近づくために、次を予測して学習していく「予測学習」の技術が使われています。

ロボティクスの挑戦

人類にとってロボットは、決して相対するものではなく、
能力を拡張したり、助けてもらったり、
「協働」したりするために開発されていることを忘れてはいけません。
そして、エンターテインメント・デリバリー・警備・建築・介護などでの
活用がはじまっています。

Chapter

4

世界最先端の身体能力を持つ人型ロボット

最先端のロボット技術

最先端のロボット技術はどこまで進化して、どこまで人間に近づいているのでしょうか。ロボット技術やロボティクスは、さまざまな分野で研究や開発が進められています。当然、それぞれの分野で最先端の技術がありますが、自律性やバランス、運動性能という点ではBoston Dynamics（ボストン・ダイナミクス、以下、ボストン社）のロボットが最先端のひとつであることに誰も異論はないでしょう。

ボストン社は設立当初、3Dシミュレーションを用いた米海軍用のトレーニングビデオを作成する企業でした。しかし、一転して軍事用ロボットの研究開発を主とすることになりました。同社が開発した最先端のロボティクス技術は評価されたものの、そこでは思ったような成果が出せず、2013年12月にロボティクスプロジェクト事業の拡大としてGoogleに買収されました。しかし、そこでも事業化と成果が見られず、2017年にソフトバンクが買収を発表しました。

ヒューマノイド型の二足歩行ロボット「Atlas」（アトラス）

代表的なロボットはヒューマノイド型の二足歩行ロボットAtlasです。アメリカ国防総省の機関「DARPA」とボストン社の共同で開発・設計されたもので、2013年7月に初めて公開されました。公開当初、Atlasの身長は約1.8mでしたが、改良とともに小型軽量化が進み、2018年3月時点での最新型は身長1.5m、体重75kg、バッテリー駆動となっています。小型軽量化とともに運動性能も著しく向上し、11kgの荷物を持ち運ぶことができます。

Atlasは自律移動のため、LIDAR（ライダー）とカメラで周囲の状況を把握します。LIDARは「Laser Imaging Detection and Ranging」の略で、レーザー画像検出と測距のためのセンサーです。自動運転車の開発でも重要なコア技術となっています。レーザー（光）とその反射を使って、周囲の形状や障害物、その距離などを検知します。そのため、光を通すガラス素材などの検知には弱いことが知られています。Atlasの驚異的な運動性能とその進化が注目されたのは、同社が公開したYouTube動画がきっかけです。ロボット業界の関係者が最も衝撃を受けたのが、林の中や雪の上を歩行する姿でした。滑りやすく転倒しやすい雪道を歩くのは人間でも困難です。ボストン社はその不安定な状況下で、人間とほぼ同じ背の高さの二足歩行ロボットで実現してみせたのです。

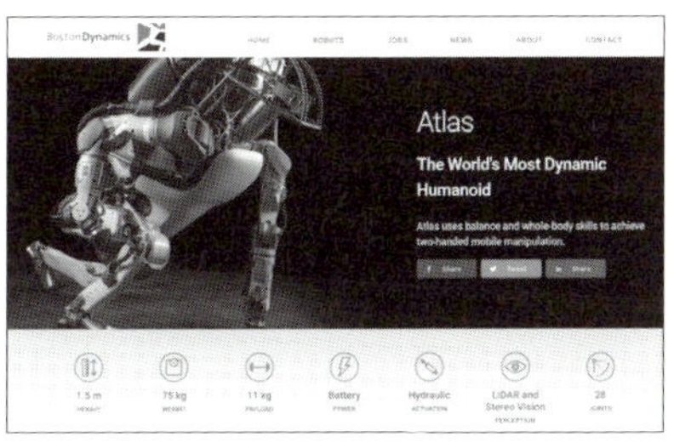

Boston Dynamics の Atlas ▶ Atlas の仕様（ボストン社公式ホームページより）

Boston Dynamics の Atlas 全景▶「SoftBank Robot World 2017」展示ブースで撮影

Atlas の歩行▶ 1 雪の上をバランスを崩しながらも歩行する Atlas　2 人間と同じサイズのヒューマノイドだからこそ、ドアの開閉もできる。ただ、ガラスはレーザーセンサーが検知できないため、ガラスのドアを認識するための特殊なコードが貼ってある（以上、YouTube 動画より）

バク宙をするAtlas

さらに、一般の人にも驚きを与えたのが、Atlasがバク宙をする映像です。テレビ番組でも取り上げられたのでご存じの人も多いでしょう。映像では、Atlasは軽やかにジャンプして台に飛び乗り、台から台へと飛び移ります。ひときわ高い台の上で身体をひねってジャンプして反対向きになったあと、豪快にバク宙を決めます。人間に近づくというより、すでに一般の人間の能力を超えていると言えるでしょう。もちろん、体操選手の身体の動きをデータ化し、ロボットはそれを学習、センサーからの情報をもとにバランスをとって、バク宙をトレースしているのですが、それにしても上手にできています。なお、動画の最後には、バク宙に失敗し、前のめりに倒れている映像もあって微笑ましくもなります。

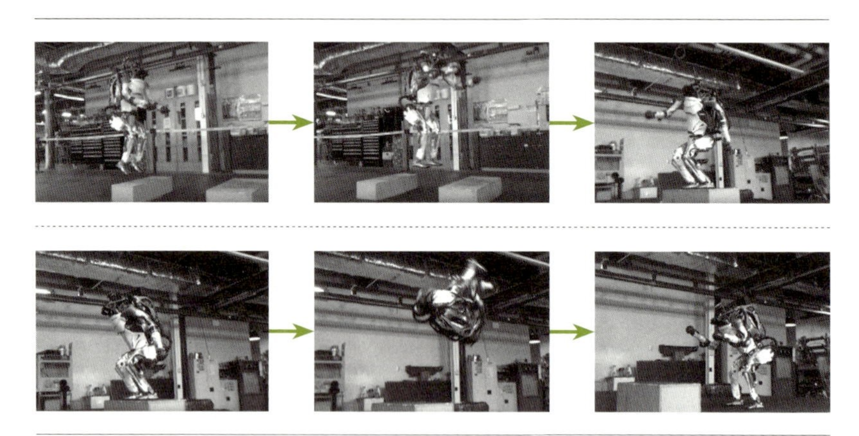

Atlasのバク宙
豪快にバク宙を決めるAtlasの連続写真（YouTube動画より）

四足歩行ロボット「Spot」（スポット）

ボストン社のロボットはヒューマノイド型だけではありません。Atlasより前に開発をはじめたのが、四足歩行ロボット「BigDog」（ビッグドッグ）です。Foster-Miller、NASA、ハーバード大学との共同開発でした。BigDogは森林など、軍事用の物資運搬車両が入れない場所を踏破し、運搬することを目的として開発され、大きな犬のようなデザインが採用されました。動力はエンジン（内燃機）だったため、音がうるさく、実用化には向いていないと判断されました。その後、高速で走る「Cheetah」（チーター）を開発。約45km/hで走行し、脚を持つロボットの最速記録を樹立しました。

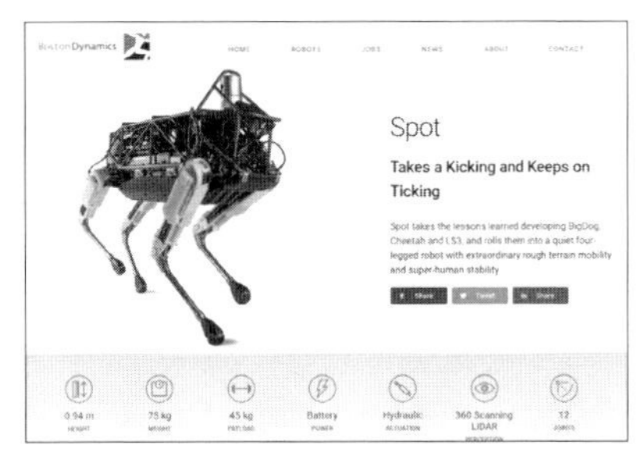

Boston DynamicsのSpot ▶ Spotの仕様（ボストン社公式ホームページより）

さらに2015年に開発された四足歩行ロボット「Spot」（スポット）は、Big Dogの知見を活かして小型化され、バッテリー駆動となりました。動画では室内（社内）や屋外を自在に走るようすが公開され、話題を呼びました。Spotは人間が蹴っても倒れないようにバランスを保つ機能を持っています。同社は2015年2月にそれを示した動画をYouTubeに公開しましたが、視聴したユーザーが機能性の素晴らしさを賛美する一方で、ロボットとはいえ、犬を蹴り上げる行為について不快感を示すコメントが多数寄せられ、物議を醸しました。

そして、米国の家庭用を意識して2016年6月に開発が明らかにされたのが「SpotMini」（スポットミニ）です。

小型化されたSpotMiniは階段の昇降もでき、家屋内を自在に歩きまわることができます。首と頭を連想させる折りたたみ式のロボットアームとカメラが装備できます。ロボットアームを駆使して、キッチンでコップや空き缶をつかみ、空き缶をゴミ箱に捨てるようすが動画で紹介されました。バナナの皮に脚を乗せてすべって転倒する微笑ましいシーンも取り入れられています。転倒後には、ロボットアームを使って自律的に起き上がります。また2017年には、SpotMiniがロボットアームでドアノブをつかんでドアを開ける動画も公開されています。

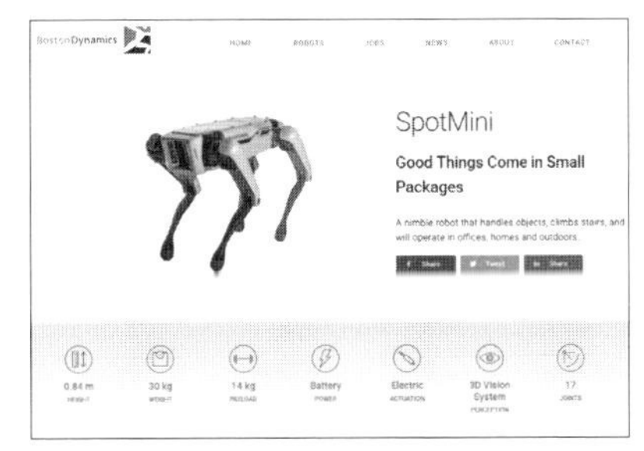

Boston DynamicsのSpotMini ▶ SpotMiniの仕様。黄色の外装が装備され、商用化が意識されている（ボストン社公式ホームページより）

家庭内で動きまわるSpotMini ▶ 1 階段を上るSpotMini。動画ではテーブルをくぐったり、障害物を上手に避けたりして、屋内を行き来する　2 コップは食器洗浄機に、空き缶はゴミ箱に、物体を判別して置き場所を分けて片づけができる（以上、YouTube動画より）

竹中工務店や大和ハウスグループのフジタは、世界に先駆けてSpotMiniを建設現場で活用することを目指し、2018年6月に実証実験を実施したことを発表しました。実証実験では、作業所員の大幅な省人化や高効率化を目指して、建設現場における自律的な巡回による進捗管理や安全点検などの業務への活用の可能性を検証し、2019年夏以降の本格活用に向けて準備を進めるとしています。

高速で移動し、ジャンプもできる「Handle」(ハンドル)

ボストン社にはHandleというホイール（車輪）走行型のロボットもあります。車輪で走行するため、整地では安定性が高く、高速で移動できます。また、Handleのすごいところは、車輪型でありながら、身長2m、105kgの巨体をジャンプさせ、パイロン（工事用コーン）を飛び越えたり、台に乗ったりすることもできます。この機動力なら産業用でもさまざまな分野で活躍できそうです。

Boston DynamicsのHandle ▶ 1 45kgのモノを持って移動できるホイール走行型ロボットHandle。バッテリー駆動　2 ホイール型ながらジャンプができ、楽々とパイロンを飛び越える（以上、YouTube動画より）

高性能ロボットの開発に必要なこと

2017年、ソフトバンクがボストン社の買収を発表しました。ソフトバンクはロボット、AI、IoTに注力することを発表していて、ロボットでは「Pepper」でコミュニケーションロボットの新たな時代を切り拓いています。そのソフトバンクが、最も優れた運動性能技術を持ったボストン社を買収するということで、ロボット業界は騒然としました。

その関係もあって、2017年に開催された「ソフトバンクロボットワールド」には、ボストン社のロボットが展示されました。そこには「Atlas」や「Spot」もありました。また、ボストン社のCEOマーク・レイバート氏も来日して講演を行いました。レイバート氏はロボットの開発について次のように語っています。

「ロボットで精巧な動きを実現したいと思った時には、通常は、物理学で軌跡を計算して、その方程式の結果を振る舞いに採用するという方法を取ります。しかし、私たちは違うアプローチを取っています。コンピュータが指示を出せば、ハードウェアが思った通りに動くと思っている人も多いかもしれませんが、それは違います。人間は脳が指令を出すと指示通りに動いているように感じているかもしれません。しかしそれらは間違った考え方で、実際の世界ではあらゆるものがロボットの身体に影響を与えます。たとえば、何かに触れれば空気の流動の問題も起きます。重力もあります。内部と外部の両方から影響を受けているのです。その外部からの影響は、コンピュータが指示をすることと同じくらい影響を与えます。そのため、物理学とコンピュータの両面からのアプローチが大切です。私たちは、物理の法則とコンピュータの指示が協調していることを目指しています。人間は走ると空気の抵抗を

Boston Dynamics CEO マーク・レイバート氏▶「SoftBank Robot World 2017」講演にて撮影

感じるし、風の影響も受ける、道路の凹凸の影響も受けるし、疲労してくれば走る歩幅は狭くなる……。こうした影響を人は無意識に補正しながら走っています。ロボットも計算したとおりに動作しても上手く動かないので、瞬時に補正していく能力が問われます」

また、講演では次のように続けています。

「私たちが目指していることは、シンプルなモデルを組み合わせて、高度な振る舞いを実現するということです。歩行モデルは70年代に研究者が確立したモデルです。高さエネルギーを前進するエネルギーに変えることで効率的にエネルギーを使う方法は、"転がる卵の重心移動"からヒントを得て確立され、さらに歩行モデルが発見されました。人が走る動きはボールが跳ねる動きと似ていると言われています。このように、ひとつひとつの動きをシンプルに分解し、これらを組み合わせることによって複雑な動きができるようにすることが、ボストン・ダイナミクスのアプローチです。このようなシンプルなモデルを頭に入れることで、複雑な動きを組み合わせて実現することができます。さらに、学習という機能を加えることで、複雑な動きもできるようになるのです」

そしてレイバート氏は、ロボット開発において重視している3つのことを提言しました。

「できるだけ早くロボットをつくる。そして、実際にロボットをつくって実世界の経験を積ませる。ロボットを開発する人たちは愛情を持って開発をするため、ロボットを壊さないように、危険な実験はしない人が多いかもしれません。しかし、まずはいろんな経験

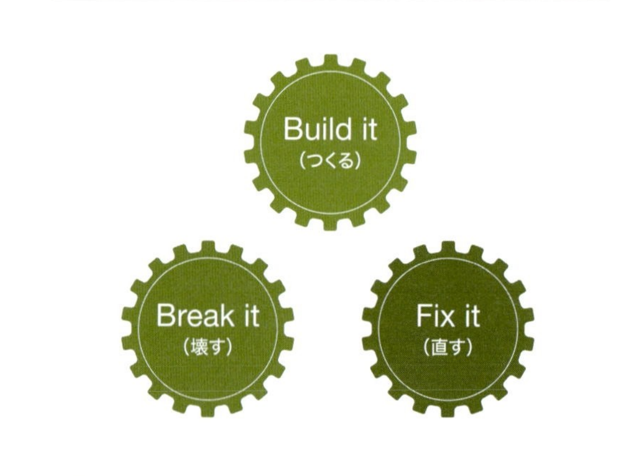

ロボット開発に重要な3つのポイント

を積ませてみることが大切です。もちろん上手くいかないこともたくさんあります。上手くいかないものはデータを取得していきながら、デザインを変えていきます。これが直すということです。私たちは、このサイクルを短期間で積極的にまわしています」

高性能ロボットのビジネス活用

ボストン社のロボットは、その運動性能が驚きを持って迎えられ、高い評価を得る一方で、「これをいったい何に使うのか？」と、実用性を疑問視されるケースも多くあります。それに対しては、レイバート氏は次のように語っています。

「ロボットをエンターテインメントに活用することに関しては、ロボットの可能性を活かせる場所のひとつと考えています。人が集まるイベントやショーにロボットを連れていくと、みんな喜んでくれて、一緒に写真を撮りたがります。さらに、デリバリーでもロボットは活用されるでしょう。倉庫においては、約1兆個の荷物が動いているわけです。それだけの小包が、現在はまだほとんどが人間によって運ばれています。物流ではまだ自動化はほとんど行われていません。そして警備。これは来年くらいにはもっと色々なケースが出てくるのだと思います。建設分野は難しい領域ですが、多くの企業が興味を持ってくれていて、アプローチのチャンスがあると考えています。私はパートナーと一緒に福島に行ってきました。ここではロボットで継続的な取り組みが行われています。人間が入っていくことが難しい場所にロボットを入れるということは重要な取り組みです。そして、一番大きな分野は介護です。私の母親にもロボットを活用した介護をしてあげたいですし、私自身介護が必要になった際には、子どもたちにはロボットを活用してもらいたいと思っています。短期的に実現できるものと長期的に実現していくもの。未来の計画というのは、限界を取り除いて進化させていく必要があります」

人間用につくられた施設をロボットが自由に行き交うためには、ヒューマノイド型が優れたデザインであることは言うまでもありません。また、人と寄り添って行動するには、ヒューマノイドや盲導犬などの大型犬タイプが適しています。

さらに、整地されていない場所、瓦礫の山、土砂災害の危険があるところ、人間が踏み込むには危険な場所などに、ロボットは入っていくことができます。それに適した脚や腕に替えられる機能もロボットならではの能力です。

人間はとても素晴らしい頭脳を持ち、汎用性に優れた身体を持っていますが、身体の能力では一部だけにフォーカスすると、機械のほうがすでに優れています。しかし、それは決して相対するものではなく、能力を拡張したり、助けてもらったり、「協働」したりするために開発されているということを忘れてはいけません。

人間そっくりなヒューマノイド（アンドロイド）

ヒューマノイド研究の第一人者

人型のロボットを「ヒューマノイド」と呼びます。本書でも「ヒューマノイド」や「アンドロイド」という言葉を使ってきましたが、ヒューマノイドは英語の「human」（人）と「oid」（〜のようなもの）の造語、アンドロイドはギリシア語の「andro」（人、男性）と「oid」との造語で、語源としては同意語と言えます。

これら人間に近いロボットの開発・研究を行っている分野があります。ヒューマノイド研究の第一人者として、大阪大学の石黒浩教授（知能ロボット学研究室）が知られています。テレビでお馴染みの「マツコロイド」や黒柳徹子さんを模したヒューマノイドも石黒教授の監修によるものです。

アンドロイドによる芸能界の大御所同士の初対談！

2018年1月4日、独立行政法人日本スポーツ振興センター（JSC）は、「お年玉BIG」の発売に合わせ、新しいWEBコンテンツとして「『tottoの部屋』お年玉BIG篇」を公開しました。

動画の中の舞台は『tottoの部屋』です。進行するのはお馴染み黒柳徹子さん……ではなく、黒柳徹子さんを模したアンドロイドです。テレビ朝日系列の番組「徹子の部屋」で42年にわたって収録されてきた会話データをもとに、最新の音声合成技術を用いて2016年9月に開発されたのが黒柳徹子さんのアンドロイドで、その名も「totto」です。

『tottoの部屋』▶進行役の黒柳徹子さんを模したアンドロイド「totto」とゲスト出演の「マツコロイド」（画像はすべて公式プレスリリースより）

そしてゲスト出演が、バラエティ番組や映画にも出演したアンドロイドの「マツコロイド」（2014年に開発）。つまり、アンドロイド同士の掛け合いのみで進行するという一風変わった、そしてロボットやヒューマノイドのファンには特に面白いと感じる興味津々のムービーとなっていました。

この「totto」と「マツコロイド」は前述のとおり、大阪大学の石黒教授が監修して開発された、いわば"きょうだい"にあたります。モデルとなった人物では完全に黒柳徹子さんが「お姉さん」なのですが、アンドロイドの誕生から見るとマツコロイドのほうが先輩、つまり「お姉さん、いや、お兄さん？」という掛け合いも見られました。何より、2014年と2017年に製作された技術の違いも見どころとなっていて、2017年型の「totto」の話し方や表情、動きのスムーズさにも注目が集まりました。

ロボットのアイドル、アンドロイドル「U」（ユー）

2017年2月、パルコ、大阪大学石黒研究室、ドワンゴは共同で、石黒研究室が開発したアンドロイドル「U」を育成するプロジェクトを発表しました。

「アンドロイドル」とは、アンドロイドとアイドルを合わせた造語で、人と豊かに関わるアンドロイドを創成するための社会実験として「アイドル育成」という手法を用いています。報道関係者向けの発表会で石黒教授は「ロボットと未来社会をつくりたい」「対話型ロボットの技術で世界を変えていきたい」と語りました。さらに「対話型ロボットは社会の中で人と関わり合って成長していく。研究室の中だけでは成長できない」として、それがドワンゴやパルコとのプロジェクトをはじめるきっかけになったと話しました。

アンドロイドル「U」は、人間そっくりの綺麗な顔立ちをしたアンドロイドです。顔の表情を変えたり首をかしげる仕草をしますが、立って歩いたりはできません。

アンドロイドル「U」▶育成するアンドロイドル「U」と石黒教授

コミュニケーションのデータ部分はドワンゴが担っています。ドワンゴはニコニコ生放送やニコニコ動画などでも知られる企業です。ニコニコ生放送では視聴者からのコメントのテキスト文が画面上に流れることで知られていますが、最初は「U」を人間のオペレーターが操作してこのコメント文に回答することで会話のやりとりのデータを蓄積してきたと言います。これを約1か月行い、「U」は自然言語対話を覚えていって、自律的に返答ができるようになってきました。

パルコはアンドロイドルの活躍の場を提供します。池袋PARCO内にあるニコニコ本社のサテライトスタジオで「U」が公開生放送を行ったり、池袋PARCOのインフォメーションスタッフ（案内役）として接客したり、イメージガールとしてポスターや大型ビジョンに登場してプロモーション活動を行ったりしました。また、ニコニコ超会議では、ニコニコ神社で実況放送のアルバイトをしたりするなど、ネットアイドルとしての活動も行いました。

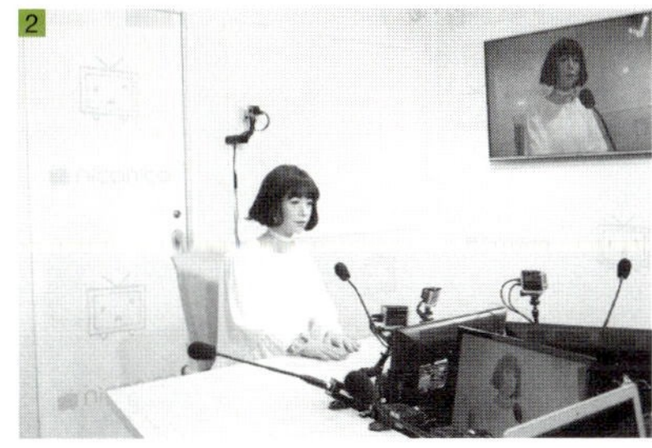

アンドロイドル「U」の活動（イメージ）▶ 1 池袋 PARCO インフォメーションカウンタースタッフとして活躍 2 ニコニコ本社サテライトスタジオにて番組 MC として生放送を行う

人間とは何か、人間の存在とはどういうものか

石黒教授は「マツコロイド」や「totto」に見られるように、外見や動きを人間に似せたアンドロイドを研究してきました。代表作には、石黒教授自身そっくりのアンドロイド「ジェミノイド HI」のほか、3代目桂米朝の米寿を記念して開発された「米朝アンドロイド」、夏目漱石氏のデスマスクを3Dスキャンしたデータをもとに開発した「漱石アンドロイド」などがあります。

ジェミノイド HI-4 ▶大阪大学により開発されたジェミノイド HI-4と石黒教授（写真提供：株式会社国際電気通信基礎技術研究所　石黒浩特別研究所）

石黒教授自身にそっくりな「ジェミノイド™(HI-4)」は、大阪大学により開発された遠隔操作型アンドロイドで、コンプレッサーによる16個の空気アクチュエーターで16の自由度（頭部：12、胴体：4）を実現しています。遠隔地から石黒教授自身が操作し、話すことで、あたかも目の前のジェミノイドによって、実際の石黒教授の講演を聴講しているような錯覚を起こします。

石黒教授は、人間そっくりのアンドロイドを開発する理由として、「ロボットらしいロボットだけでなく、人間らしいロボットを用いて、人間の持つ存在感の解明を目的としている」ことを挙げています。すなわち、人間のようなロボットを開発することで、「人間とは何か」「人間の存在とはどういうものか」「人の存在感は遠隔地へ伝達することができるか」など、多くの疑問を解明するために研究しています。

> 人間の「存在」とは、「その人らしさ」とは何か？
> 人はどのようなときに「生命」を感じるのか？

これは実に興味深い問いかけであり、取り組みです。

不気味の谷

人間そっくりなヒューマノイドを見たとき、多くの人は「怖い」と感じます。それは当然な感想だと言うことができます。人間そっくりの姿を追求していくと、やがて周囲が不気味と感じる段階「不気味の谷」を迎えるという説があります。そこからさらに人間に近くなることで、人間同様のヒューマノイドのデザインにたどり着くとされています。

不気味の谷は 1970 年、東京工業大学名誉教授の森政弘氏が提唱したものです。ロボットを機械的なデザインから人間に近づけていくと、人々の好感度は向上していきます。しかし、人間と同じデザインに行き着く手前において、好感度が急落して、不快感や嫌悪感を抱かれる段階があるとしています。「似すぎていて怖い」という感情に似ています。その谷を越えて、さらに人間に近い、ほぼ同じだと認識できるデザインになると、好感度が再び急上昇すると予測されています。

好感度の動きをグラフにした際、好感度は人間と同様とみなす直前で大きな谷を形成することから、その落ち込みを「不気味の谷」と名づけました。

人型のロボットをデザインする場合、この概念を考慮して開発する必要があります。ロボットっぽい動きとデザイン、少し外観や動作が人間に近いアンドロイドには好感を受けますが、似すぎてしまうと、不気味の谷によって嫌悪感を抱かれる可能性が高くなります。石黒教授の挑戦は、常にこの不気味の谷と向き合い、いつかこの谷を越える研究なのかもしれません。コンピュータグラフィックス（CG）を用いた映画やアニメーションでも同様の現象が起きると言えるでしょう。人間を描く際は不気味の谷に落ちないように、あえてリアリティを抑えたキャラクターデザインを行うケースもあると言われています。

石黒教授が斬新なアイディアで挑んだのが「ERICA」（エリカ）です。石黒教授と京都大学大学院情報学研究科の河原達也教授らが開発した自律対話型アンドロイドです。人間そっくりの部分に、あえて人工的なデザインが取り入れられているのです。

ERICA ▶ 整った顔立ちを意識してデザインされたアンドロイド ERICA（写真提供：株式会社国際電気通信基礎技術研究所　石黒浩特別研究所）

ERICAの顔は日本人と欧米人のハーフを意識してCGで整った顔がデザインされました。左右対称で、鼻と口、アゴが一直線に並び、アニメのキャラクターのようなアゴのラインは、意識的に整った顔立ちでつくられたと言えます。年齢の設定は23歳。どこまで人間に似せられるかというアプローチではなく、人が綺麗だ、美人だと感じる顔をデザインした、実に興味深い試みです。

ERICAはJST（国立研究開発法人 科学技術振興機構）の「ERATO 石黒共生ヒューマンロボットインタラクションプロジェクト」のもとで、「人間型ロボットによる対話の人間らしさの向上」を目指して研究開発が進められています。特に会話については河原達也教授が中心となり、一問一答ではなく、長い会話のやりとりや、前の会話から継続した会話、相槌、うなずき、視線など、言語のやりとりだけでない人間らしい会話の振る舞いを実現しようとしています。

女子アナはアンドロイド！　日テレに入社した「アオイエリカ」

2018年度日本テレビグループの合同入社式。そこには入社するアナウンサーのひとりとして、「アオイエリカ」という名前の女性が列席していました。彼女は新入社員の前で次のように入社の意気込みを述べました。

「メディアが大きく変化している今、歴史ある日本テレビに入社できたことを、こころより嬉しく思います。一日も早く会社の戦力となれますよう、これから持てる能力を尽くして、先輩方の仕事を学習いたします。そして、世界に向けて日本のさまざまな魅力を伝えられるアンドロイドアナウンサーとして活躍できるよう、皆様と一緒に取り組んでまいりたいと思います」

彼女は大阪大学の石黒研究室らが開発を進めてきたERICAをもとに、日本テレビと共同開発したアンドロイドです。

美しい日本語の継承、多言語での世界中の人とのコミュニケーション、膨大な情報を短時間で収集・分析、24時間連続活動など、さまざまな実験をしながら、アンドロイドアナウンサーならではの活躍を目指すと言います。すでに番組出演も行っています。さらに今後は、「アンドロイドアナウンサーはニュースが読めるのか？」「インタビューができるのか？」「スポーツの実況ができるのか？」「バラエティ番組の司会ができるのか？」「多言語を習得し、世界に向けて発信できるのか？」など、さまざまな課題に挑戦していくとしています。

これを機会に、お茶の間にアンドロイドの最新技術が周知されたり、現在の技術ではどこまでできるのかといった現状が伝えられたりすることは、とてもよいことだと感じています。

日本テレビ放送網執行役員編成局長の福田博之氏は、次のように語っています。

「2018年の今、『AI が人間の仕事を奪うのでは？』という問いが投げかけられていますが、日本テレビでは、テクノロジーと私たちの創意工夫が連携することで、コンテンツ製作にイノベーションが生まれると考えています。目指すのは人間の『代替』ではなく、人間とアンドロイドが一緒に働くことで生まれるクリエイティビティの『拡張』です。アンドロイドアナウンサーとして入社するアオイエリカは、すでに音声認識・音声発話・傾聴動作について高度なAIを実装しています。入社後は、アナウンス部で先輩アナウンサーたちから正しい発声や言葉の選択方法などを学び、会話のテクニックを磨きます。リアルタイムでスポーツデータを取り込み、会話に適応する技術も身に付けさせます。ご期待ください！」

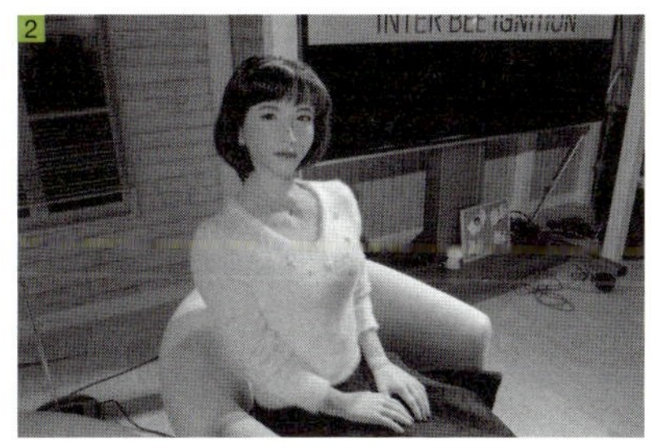

アオイエリカ▶ 1 日テレに入社したアンドロイドアナウンサー「アオイエリカ」 2 「アオイエリカ」は実際にテレビ番組やYouTube動画でアナウンサーとして活躍していく予定

テレイグジスタンス・ロボット

遠隔操作ロボット「TELESAR V」（テレサ ファイブ）

「テレイグジスタンス」とは「テレプレゼンス」とも「サロゲート」とも言われ、「体感的な遠隔操作」を意味し、遠隔操作できる分身ロボットを「テレイグジスタンス・ロボット」と呼びます。KDDI は「CEATEC JAPAN 2017」という展示会で、東京大学舘研究室で研究開発された「TELESAR V」という名前のテレイグジスタンス・ロボットを披露しました。

TELESAR Vは、グローブとヘッドマウントディスプレイ（HMD）を装着した人の動きに合わせて（同期して）、ロボットが人の分身（アバター）のように同じ動きをするシステムです。遠隔操作といえば、ラジコンやリモコンなどで操縦することも含みますが、ここで重要なのは、人間の動きに同期してロボットが動くことで、特別な操縦方法の習得は必要なく、遠隔操縦者は感覚的にロボットを動かすことができるという点です。

具体的には、ロボットの目の位置には二眼カメラが装備されていて、そのカメラの映像は遠隔操作者に送られ、装着しているHMDにリアルタイムで映し出されています。また、ロボットの耳にはマイクが内蔵されていて、ロボットの周囲の音はそのマイクを通じて遠隔操作者のヘッドフォンに届けられています。

さらにTELESAR Vで特筆すべきは、ロボットには指にセンサーが仕込まれていて、持ったモノの感触が操縦者のシステムに送られ、装着しているグローブを通して操縦者が感じることができることです。これによって操縦者は、ロボットが見て、聞いたモノを知るだけでなく、触ったモノの質感や触り心地も感じることができます。操縦者はこれらの情報からロボットの状況を把握し、操作することができます。操縦者が顔や手、指などを動かすとロボットに伝えられ、ロボットは同じ動作をします。また、操縦者が話した言葉はマイクを通じて、ロボットのそばに設置されているスピーカーから聞こえるしくみとなっています。

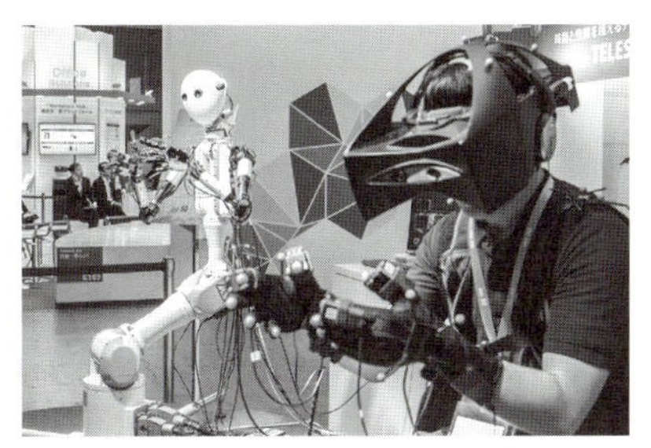

KDDI が展示したテレイグジスタンス・ロボット▶手前が遠隔操縦者で、奥が「TELESAR V」。TELESAR V は手前の操縦者の動きと同じ動きをしている。東京大学舘研究室で研究開発された

トヨタの遠隔操作ロボット「T-HR3」

テレイグジスタンス・ロボットはトヨタ自動車も開発していて、ヒューマノイドロボット「T-HR3」と名付けられています。「2017 国際ロボット展」でデモが公開され、多くの注目を集めていました。

T-HR3 の場合は二足歩行型のヒューマノイドで、家庭や医療機関など、さまざまな場面で人に寄り添い、生活を安全にサポートするパートナーロボットを目指しています。同ロボットとしては第 3 世代にあたり、最大の特徴は、力（トルク）を制御するためのトルクサーボ・モジュールと、全身を自在に操るマスター操縦システムなどを刷新し、やさしくてしなやかな動きが可能となったことです。

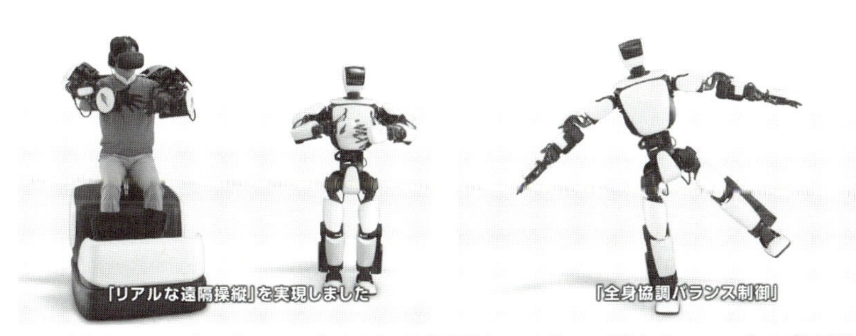

トヨタ自動車のテレイグジスタンス・ロボット▶左が遠隔操縦者で、右がテレイグジスタンス・ロボット「T-HR3」。バランスをとって片足で立つこともできる（トヨタ自動車公式ホームページより）

T-HR3は、10本の指を持つ手と32の関節によって、人間に非常に近い動作が可能です。また、バランスの制御は自律的に行われるので、操縦者が意識しなくても転倒したり、バランスを崩してよろけたりするようなこともありません。これらは、安全性を確保する上でとても重視されているポイントです。同社の発表によると、それらの技術による特長を下記のように挙げています。

●ロボット関節の柔軟制御

トルクサーボ技術によって、関節を柔軟に制御することで、周囲との接触によって受ける力をやわらかく受け流し、人、物などを傷つけることなく、安全・確実に作業することができます。

●全身協調バランス制御

さまざまな姿勢をとる際に、周囲の人、物などとの接触によって生じる外力に対し、全身を使ってバランスを維持します。

●リアルな遠隔操縦

トルクサーボモジュールとマスターアーム、マスターフット、ヘッドマウントディスプレイから構成されるマスター操縦システムにより、操縦者とロボットがトルクを共有し、操縦者の分身であるかのような感覚での遠隔操縦を実現します。

YouTubeで「TELESAR V」や「T-HR3」の多数の映像を見ることができるので、チェックしてみてください。テレイグジスタンス・ロボットのことが理解しやすくなると思います。

テレイグジスタンス・ロボットの災害現場での活躍

ではなぜ、大企業が体感型遠隔操作ロボットの開発に注力しているのでしょうか。今はまだ研究段階のこれらの技術ですが、その将来には大きな意義とニーズがあるからです。たとえば、がけ崩れや土砂崩れ、地震の後などの瓦礫が散乱する現場など、二次災害が発生する恐れがある危険な場所には、人間の作業員は入って作業することができません。しかし、テレイグジスタンス・ロボットなら危険な場所であっても立ち入って作業することができます。

その際、ヒューマノイド型はとても便利です。なぜなら、家屋や施設、乗り物や機器などは人間が使いやすいようにつくられているためです。階段やハシゴを昇降したり、ドアやバルブを開閉したりするなどの作業は、ヒューマノイド構造のロボットは適しています。また、土砂崩れ災害などでは、ブルドーザーやユニックなどの建機で作業する場合も、ヒューマノイド型だとそのまま乗り込んで作業することが可能だと考えられています。

遠隔地へ専門家の派遣

専門家や技能を持った人が遠隔地に行くには、時間も費用もかかります。それをロボットで代替できる可能性があります。たとえば、医療機関や建設作業現場、宇宙などです。身近なところでは、遠隔診療などもあります。医師が不足している地方では、医師が常駐する診療所が少ない、往診する医師がいないなどの状況が深刻化しています。将来は、テレイグジスタンス・ロボットを通して患者の症状を聞いたり、状況を確認したり、治療なども可能になることが期待されています。また、テレイグジスタンス・ロボットなら、操縦者の医師が交代することで、どんな診療科目にも対応できるかもしれません。

外出困難な高齢者の買い物にも

KDDIの広報はTELESAR Vの用途について、「このようなロボットの遠隔操作が実現すれば、外出することが困難な高齢者の方がロボットを通して実際の買い物を楽しんだり、商品を手にとって感触を確認したりして商品を購入することができるようになる」とコメントしています。高齢者でなくても、オンラインショッピングでは商品がよくわからない、質感を知りたいといったことはよくありますが、これらがテレイグジスタンス・ロボットで解決される可能性もあります。

実はPepperをテレイグジスタンス・ロボットとして活用した事例があります。ダックリングズの「HUG Project」（HUG）です。Pepper用のロボアプリNo.1を決める開発コンテスト「Pepper App Challenge 2015 Winter」で最優秀賞を受賞しました。PepperとVR機能を上手に組み合わせたもので、二眼カメラを装備したPepperが使われました。

Pepperが寝たきりのお婆ちゃんの代わりに披露宴へ

その日、ソフトバンクロボティクスのロボットPepperは、寝たきりのお婆ちゃんに代わって、孫の披露宴に出席していました。お婆ちゃんの腕の動きや視線に合わせてPepperも同様に動作し、見て、聞いて、話し、あたかもお婆ちゃんが披露宴に参加しているかのように振る舞います。友人たちの祝福を受けながら新郎新婦が満面の笑みでPepperのそばに近づきます。新郎新婦が広げた両手に呼応するようにお婆ちゃんも震える手を大きく広げると、新郎新婦は手を広げたPepperとしっかりと抱き合いました。お婆ちゃんは震える声で「おめでとう」と新郎である孫につぶやき、新郎も「ありがとうね！」と答えました。

HUG開発のきっかけは「病室で寝たきりのお婆ちゃんにも結婚式に参加してもらいたい」というダックリングズ代表取締役、高木紀和氏の思いでした。高木氏本人の結婚式や披露宴本番でこのシステムを実際に稼働させ、愛知県犬山市で寝たきりのお婆ちゃんが、東京で行われた披露宴にロボットで参加したのです。

ヘッドマウントディスプレイは目の前で映像が見られる小型のディスプレイですが、今や機能はそれだけに留まりません。HMDにはセンサーが内蔵されていて、頭の傾きや動きを検知しています。人の動きを認識する技術は「モーションセンシング」と呼ばれ、ユーザーの頭の向きや傾きを検知する機能を「ヘッドトラッキング」と言います。製品としては「Oculus Rift」（オキュラス社）などが注目されています。

実際の披露宴では、ヘッドセットにOculus Riftとは別の「FOVE」（フォーブ社）を利用しました。FOVEはヘッドトラッキング機能に加えて、ユーザーの視線を検知するアイトラッキング機能を併せ持っています。寝たきりのお婆ちゃんは頭を動かすより、視線だけで視界を変えたり、Pepperの向きを変えたりできるほうが便利だろうという配慮からです。上半身の動きで要となるのが腕の制御です。HUGではユーザーの腕の動きを「Kinect」（キネクト）、手の動きを「Leap Motion」（リープモーション）でセンシングしてPepperに伝達しています。

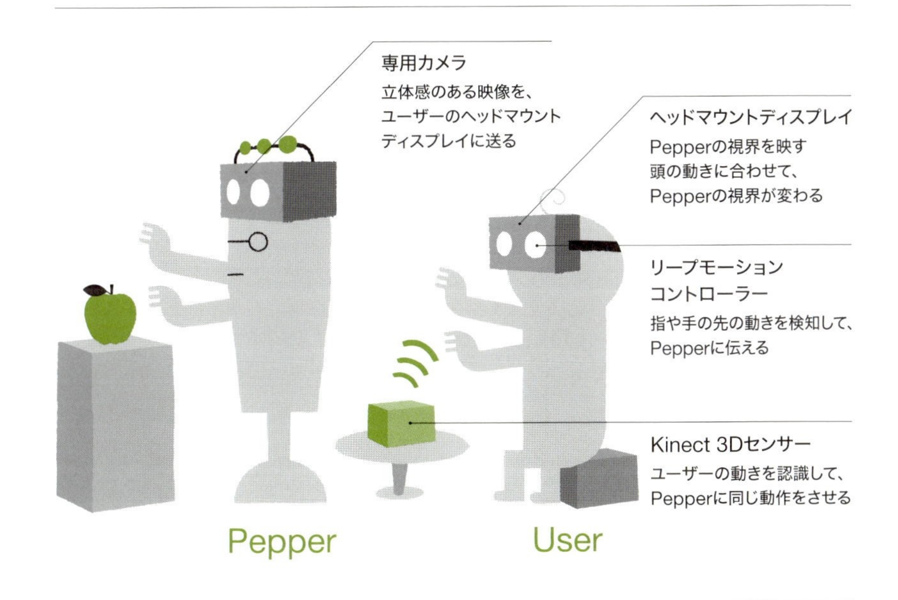

HUGシステムのしくみ
ユーザー（体験者）はLeap Motion Controllerを付けたヘッドセットを装着。別に設置した3Dセンサー（Kinect）が腕の動作を検知。Pepperには頭部に専用の動画カメラ。音声は別途、通話回線でやりとりする

操縦者の動きはゲーム機用のモーションセンサーが使われています。「Xbox One用Kinectセンサー」です。Microsoftが発売している3Dセンサーで、「Kinect for Xbox 360」など、コントローラーを使わずに手足や頭など、ユーザーの動きによってゲーム内のプレイヤーを操作できることで知られています。最近のモデルでは、人の動きを読み取るだけでなく、その情報を処理するプロセッサも機器内に搭載しています。

指や手の動きを認識しているのはLeap Motion Controllerで、ヘッドセットの前面部に取り付けてあります。手を前方に出すと指や手の甲（平）を検知し、指先一本一本の動き、前後左右、上下、ひねりなど、100分の1mmの精度で認識できるとされています。Pepperの場合はそれぞれの指を独立して動かすことができないので、グーかパーの制御になってはしまいますが、HUGでは指の動きも検知することができます。

Pepper本体の顔部には標準で額と口にカメラが装備されていて、額のRGBカメラが主に前方を見ています。しかし、このカメラの映像ではVRの臨場感やリアリティを達成できないと判断し、別途頭部に、60フレーム／秒（60fps）で映像が見られる専用の二眼カメラを装備して、機能の拡張を図っています。フレーム数が少ないと映像がカクカクとした表示になってしまいますが、一般の映画では24fps、テレビ放送などの映像は以前から30fpsが目安となっているため、60fpsはスムーズな映像再生には十分な性能です。なお、カメラを二眼にしたのは、左右の目の視差をとって立体感を演出するため。すなわちユーザーはヘッドセットで立体視された映像を見ていることになります。これも臨場感を増すには重要な機能です。

寝たきりのお婆ちゃんに代ってPepperが披露宴へ▶
高木氏本人の披露宴で実際に使われた

このように、HUGは実用化しはじめているVRのコンポーネントを上手に使い、Pepperと巧みに組み合わせ、自身の生活体験の中でニーズを実現させたのです。

「涙がこぼれるほど感動する」それはとても幸せなことです。生活範囲のほとんどが自分の部屋や家の中だけとなってしまっている高齢者が、遠く離れた結婚式の披露宴会場に瞬間移動し、たくさんの人たちに祝福されている孫夫婦のようすをまるでその場にいるかのように感じられたなら……。その体験にどれほど心を揺さぶられたことでしょうか。

テレイグジスタンスのアプローチ

実用化されているテレイグジスタンス・ロボット（テレプレゼンス・ロボット）では、Ava Roboticsの製品「Ava 500」が知られています。ヒューマノイド型やVRゴーグルなどの装備にこだわらず、気軽に、かつ実用的にビジネス現場で活用することを重視したアプローチとなっています。この例のほうが「テレイグジスタンスの実際のイメージや存在意義が具体的につかめる」という人も多いのではないでしょうか。その場にいなくても現場に参加できる、自分の分身が距離を超えて存在することの意義や重要性が見えてきます。

Ava 500はもともと、ロボット掃除機「ルンバ」で有名なiRobotが、Ciscoと協力して開発していました。そのiRobotから開発メンバーがスピンオフしてAva Roboticsを起業しました。発表当時（2013年）は「歩くテレビ会議システム」として注目されました。実際、ソフトウェアの機能的にはテレビ会議システムとほぼ変わりません。これがもし移動型でなく、パソコンの画面やタブレット画面であれば、「ただのテレビ会議システム」と感じるでしょう。ロボットが移動型であることはそれほど重要な進化なのです。Ava 500は自分の位置や周囲の環境のマップを自動的に作成し、遠隔操作で目的地を指定するだけで、障害物を自動的に避けながら自律的に移動します。

現在の技術では、自律型のロボットが受付を担当してお客と対話し、目的地まで案内することは困難ですが、遠隔ロボットを通じてスタッフが応対し、目的地まで案内することは、進化のステップとして重要な技術となりそうです。

Ava 500の実用例▶ 1 遠隔地から移動操作してスタッフの部屋へ行き、ビデオ会議システムでミーティングを行うことができる　2 乗り越えられない障害物がなければ、どこでも移動することができる。自律的にマッピングを行い、通れる場所を検知して移動する（Ava Robotics 社公式ホームページより）

「歩こう」という意思で動作するロボットスーツ

ロボットが灯す希望の灯り

“ あきらめが希望に……
「もう足は動かない」というあきらめが、
「また動かせるようになるかもしれない」という希望に変わる。”

「サイバニクス：人・ロボット・情報系の融合複合」技術を駆使した製品を開発・製造・販売するサイバーダイン社（CYBERDYNE）は、世界有数の規模を誇る保険グループであるAIGジャパン・ホールディングスと共同で、脊損受傷小中高生を対象に、ロボットスーツ「HAL®」（ハル）による「歩行機能向上プログラム」を実施することを発表しました。これには神奈川県が連携しています。HALはサイバーダイン社が開発した身体に装着するロボットスーツです。世界初のサイボーグ型ロボットであり、人とロボットを機能的に一体化させることのできる基本特許は、公益財団法人発明協会から、自動車やITなどの分野も含め、すべての分野の中から著しく優秀と認められ、全国発明表彰21世紀発明賞を受賞しています。

HALの操作は「生体電位信号」を使い、装着者の意思だけで行うことができます。生体電位信号とは、脳から筋肉に送られる「動こう（歩こう）」とした際に皮膚表面に漏れ出てくる電気信号です。それを読み取ることで、HALは装着者の脳からの意思に従った動作を表現するしくみです。装着者が「右足を曲げよう」「脚を伸ばそう」「歩こう」とするだけで、HALがその意思を検出して装着者の足を曲げたり、伸ばしたりを行います。

装着型ロボットは、サイバーダイン社以外にも多くの企業が参入していて、さまざまな分野で導入が進められています。健常者用としては、物流倉庫などで荷物の積み下ろしの筋力補助や腰の保護などが知られています。サイバーダイン社の腰に装着するタイプのものは、荷物を持ち上げる際に背中に流れる生体電位信号を検出して、腰にかかる力をロボットが補助することで、重たい荷物でも楽々と持ち上げることができます。介護施設でも、要介護者をベッドから車椅子に抱えて移動する場合に介護スタッフの腰や背中に負担がかかるので、それをロボットスーツの力で支援するのです。

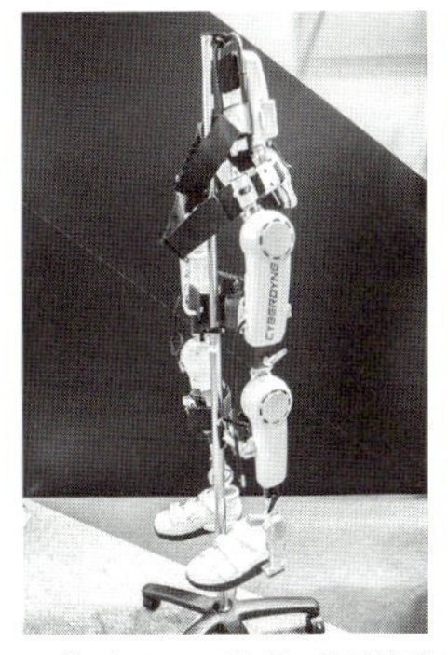

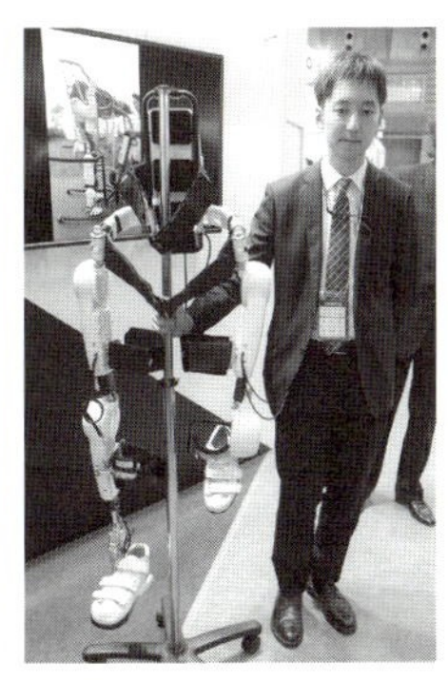

ロボットスーツ HAL（下肢用）▶写真右の男性はヒザを曲げていないが、「ヒザを曲げよう」と思っただけでロボットは男性の意思に従ってヒザを曲げている

サイバーダイン社が研究・開発しているHALは、生体電位信号の検出により、健常者が使用する場合だけでなく、障害者など、手や足を動かすことができない場合でも、装着者の意思に従った動作を実現することができ、下肢タイプは、歩行機能を改善する革新的ロボット治療機器（薬事承認された医療機器）としても展開されています。生体電位信号の検出は、ロボットスーツの力を借りて、思うだけで自分の身体を自然に動かせるようになる技術へとつながっているのです。

1

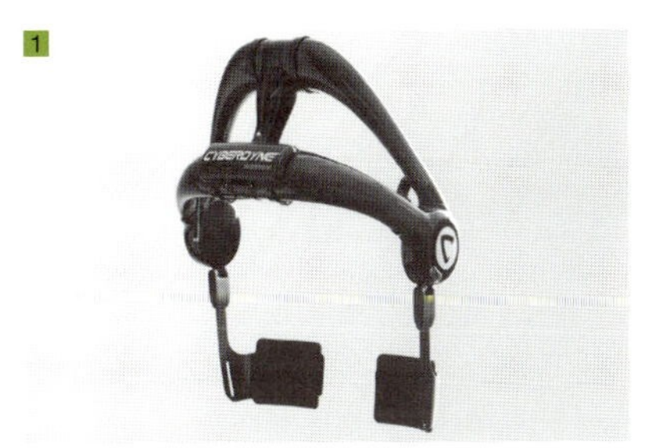

2

ロボットスーツ HAL 腰タイプ作業支援用▶航空会社の旅客手荷物ハンドリング業務に成田空港で試験導入された。物を持ち上げる、動かすなどの重労働で腰部や椎間板にかかる負荷を低減する
Prof. Sankai, University of Tsukuba / CYBERDYNE Inc.

保険会社が支援し、自治体が連携を表明する理由

AIG ジャパンは事業コンセプトとして「ACTIVE CARE」を掲げています。ACTIVE CARE は「まさかのことが起こる前に正しく備え、リスクを予防する」ことをテーマに、世界中の最先端技術を率先して導入してきました。CEO のロバート・ノディン氏は発表会の会場で、「サイバーダイン社の優れた技術を、困っている子どもたちに届けたいと考えてきた」とし、このプログラムが「脊髄障害を負った子どもたちの助けとなり、生活の質が向上することに期待したい」と語りました。

今後、ロボット技術やビッグデータと保険業界は密接に関わると言われています。障害を負っている人がどのように社会復帰できるか、そのリハビリ期間などが保険の契約や支払いに密接に関わってくるからです。近年は、個人の健康管理のビッグデータを解析することによって、将来病気にかかるリスクを予測するシステムも研究されています。個人の健康管理データによって保険料率が変わる可能性も含んでいます。

一方、神奈川県は、"未病の改善"と"最先端医療・最新技術の追求"という大きな２つのテーマを掲げています。そのため、このプロジェクトの推進が、このテーマに大きく寄与するものと考えていて、歩行ができなくなって困っている小中高生に対して、最先端の歩行機能向上促進プログラムを体験する機会を与えることを支援したいという考えに基づいています。また、サイバーダイン社の人・ロボット・情報系を融合した革新的な技術などを活用したトレーニング事業を行う施設、湘南ロボケアセンターが神奈川県藤沢市にあることも関係しています。

コンピュータと感情、ロボットと生命

人類が「シンギュラリティ」を迎えるか否かは、
「"心"や"命"とは何か?」を考えることからはじまるのかもしれません。

Chapter

5

Look at it
this way:

AIコンピューティングの頭脳の進化と「GPU」

シンギュラリティを近づけるAIの台頭とGPUの進化

レイ・カーツワイル氏の著書『シンギュラリティは近い』が注目されたこともあり、「人間が人間の能力をコンピュータによって超越するとき」の実現に現実味を感じる人が増えています。ここまで、現状のAIとロボット技術、ビッグデータによる進化の実態を解説してきましたが、皆さんはどう感じているでしょうか。

現在のAIブームはディープラーニング（深層学習）とその実用化によってもたらされています。ディープラーニングの理論はずっと以前からありましたが、現実的な効果や成果を示すことができませんでした。今になってそれができるようになった理由は、ディープラーニングの「ソフトウェア（アルゴリズム）の醸成」と、ディープラーニング（学習）に必要な「膨大なデータ（ビッグデータ）の集積」「コンピュータの高速な演算能力の向上」の3つが挙げられています。この3つの進化が偶然にも重なり、現在のAI技術の成果につながったとされています。

『シンギュラリティは近い』の中でカーツワイル氏は、「人間の知能を模倣するコンピューティング能力は20年以内に実現可能となる」と書いています。それはどのようなコンピュータなのでしょうか？

コンピュータの進化は、人間の頭脳にあたる「CPU」（中央演算装置）のトランジスタ数や高速性が対象とされてきました。Chapter 1で紹介した孫正義氏が行った講演の際も、CPUの進化として、トランジスタ数の増加を示す指標となる「ムーアの法則」を例に挙げています。

ところがここ数年、コンピュータの進化はムーアの法則を超えて進化しはじめました。その理由が「AIの台頭」と「GPUの進化」です。

得意分野は複雑なグラフィックス処理

AI技術のブレークスルーとなったニューラルネットワークは人間の脳を模した数学モデルで、その構造が複雑です。さらにディープラーニングでは、そこに多層のレイヤーをつくって機械学習をさせて「特徴」を発見・理解させます。それにはビッグデータを読み込ませる必要があります。その演算処理は膨大な量になり、コンピュータには大きな負荷がかかるため、CPUで行う従来の大型コンピュータを用いると、数日から数か月かかるものもあったのです。

この作業を効率的に処理できるのが「GPU」です。GPUとは、グラフィックス・プロセッシング・ユニットの略で、パソコンにはビデオボード（グラフィック拡張カード）やグラフィックスアクセラレーターボードと呼ばれて搭載されてきたICチップのことです。ゲームやCG、VRなどの複雑なグラフィックス処理をCPUに代わって作業する役割を持っています。グラフィックスの高速処理はCPUに大きな負担をかけ、全体のパフォーマンスの低下を生んでしまうため、グラフィックス処理だけGPUが肩代わりして作業するのです。

AIコンピューティングに必須の演算処理能力

実は、グラフィックスとAIの処理には共通することがあります。それはどちらも「行列演算」や「並列演算」処理が中心だということです。そしてどちらもCPUにとってはそれほど得意分野ではありませんが、GPUには得意な作業です。すなわち、ニューラルネットワークの機械学習の処理時間を短縮するコンピュータの高速化には、GPUはとても有効だということがわかったのです。高度なグラフィック演算のために開発されたGPUは、ディープラーニングの行列演算処理でも同様に威力を発揮し、おおまかな目安でCPUの10～20倍以上も高速化できると言われています。しかも、GPUをたくさん増設すれば、それだけ高速化につながることもわかりました。これを「スケーラブル性」（スケールアップができる）と呼びます。

コンピュータにはCPUが必要なことに変わりありませんが、AIコンピューティングの世界においては、コンピュータの高速性を飛躍的に向上させることができる主役がCPUからGPUへとプレイヤー・チェンジしたのです。こうした背景から、AIコンピューティングが注目されている現在では、トランジスタやCPUの進化を唱えた「ムーアの法則」は崩壊し、GPUの進化によって法則を突き破るめざましい高速化が起こりました。「GPUの進化」もまた、ニューラルネットワークのブレークスルーを後押しし、AI技術の驚くべき進化を加速させたのです。

また、開発者にとってソフトウェアの開発環境が整っているかどうかも重要です。GPUを開発・提供しているNVIDIAでは「Caffe」や「Theano」「Torch」「Minerva」などのディープラーニング・ライブラリーを、GPUで活用しやすいライブラリー「cuBLAS」や「cuDNN」に提供しています。これによりほとんどのプラットフォームで、かつほとんどの処理で、開発者はGPUコードを書く手間もなく、ディープラーニングのシステムが開発できるようになったのです。

NVIDIAのGPU ▶コンピュータの頭脳の中心は「CPU」で、処理のほとんどをこなす。しかし、グラフィックス処理はCPUに代わって、得意な「GPU」が作業を分担して処理する

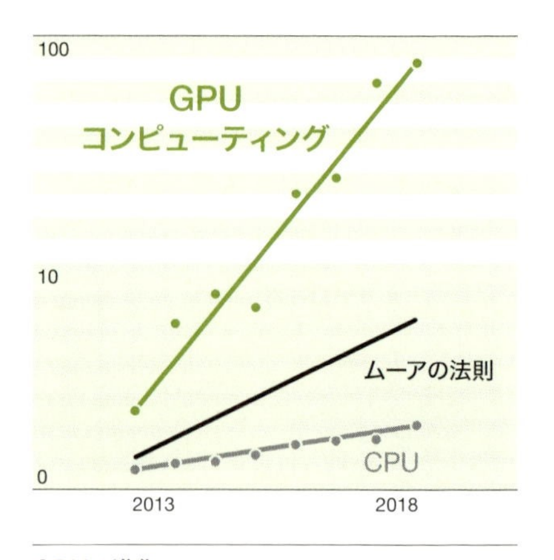

GPUの進化
AIコンピューティングにおける計算能力の進化スピードは、CPUの進化やムーアの法則を超えて高速化している

加速する自動運転技術

ハードとソフトで自動運転技術を牽引するNVIDIA

2018年時点で、GPUメーカーとして世界トップに君臨し、独走しているのが「NVIDIA」です。NVIDIAは、ただハードウェア製品のGPUを開発するだけでなく、それを利用するためのソフトウェアや開発ツール、ニューラルネットワークを構築するためのクラウド・プラットフォーム、機械学習のためのシミュレーターなどをトータルで提供しています。

さらには、AIコンピューティングが不可欠な自動運転車の技術も開発しています。自動車メーカーが自動運転を実現しやすいように、GPUを搭載した自動運転向けのAIコンピュータボード「DRIVE」シリーズを製品化しました。この製品を使い、自動車に搭載したカメラやレーダー、センサーからの情報を解析することで、道路や車線、標識や信号などを認識し、周囲の自動車や自転車、歩行者を自動で検知し、危険を回避して走る自動運転車を開発することができます。ただ、AIが自動運転を十分に学習するには1.6兆kmもの走行データが必要とされていて、テスト車を使って収集できるデータ量では大きく不足しています。

AIコンピュータボード「DRIVE」シリーズ使用例▶ 1 カメラやセンサーで周囲の自動車を認識しているようす 2 AIが走行できる範囲、走行すべき範囲を解析しているようす（NVIDIA社公式ホームページより）

ICTやロボットの技術が求められる自動運転車開発

また、開発に必要なソフトウェアや開発ツール、機械学習用のビッグデータ、プラットフォーム環境も同時に提供します。これらを自動車メーカーや自治体が利用することで、将来、自社開発の自動運転車を販売したり、都市交通に利用する自動運転バスなどが実現できたりする可能性があります。

トヨタ自動車、アウディ、メルセデス、ボルボ、テスラなど自動車メーカーや、中国検索最大手企業のバイドゥがNVIDIAと提携し、同社のAIコンピュータボード「DRIVE」シリーズを搭載して、開発とテストを繰り返しています。自動運転車の開発自体は自動車メーカーが独自で行っているわけではありません。なぜなら、自動運転車を実現するための技術には、従来の自動車の技術よりもむしろ、ICTやロボットの技術が求められているからです。

『シンギュラリティは近い』の中でも、「人間の知能を模倣するコンピューティング能力」がハードウェアのレベルで実現できるようになったとしても、それだけで人間の能力に迫れるわけではなく、人間の頭脳に近いソフトウェアを開発することはもっと重要で困難であることが示唆されています。AIコンピューティングは人間ができることを模倣しようと進化しています。人間ができるあらゆることをいきなり超える進化はあり得ませんが、それらが少しずつ増えていくことで、今まで機械にはできなかったことができるようになっていくのです。

NVIDIAが自動運転コンピュータの開発のためにつくらせた通称「BB 8」▶ 1 12個のカメラ、レーダーセンサーの「LIDAR」（ライダー）、その他各種のセンサーやソナーが装備されていて、走行中も周囲の状況を把握する　2 NVIDIAの「DRIVE」シリーズは多くの場合、トランク部にコンピュータボードが収容されている

好きなキャラクターと一緒に暮らす生活

擬人化ホログラム実現への道程

近未来を描いたSF映画には、しばしば3Dホログラムが登場します。映画『スターウォーズ』シリーズや『ブレードランナー 2049』にも登場しています。『スターウォーズ』ではディスプレイに代わる表示デバイスのひとつとして登場することが多いのですが、『ブレードランナー 2049』ではAIを使った映像的なアンドロイドの存在が描かれています。映画の中で、3Dホログラムのアンドロイドは目の前でまるで実在する人間のように振る舞っていますが、現実の世界では、「擬人化ホログラム」はもう少し先の話です。

似たようなしくみで世界中のキャラクター・ファンを驚かせたのが、Gatebox株式会社が開発した“好きなキャラクターと一緒に暮らせる”世界初のバーチャルホームロボット「Gatebox」(ゲートボックス)です。最新のプロジェクション技術とセンシング技術を組み合わせ、さまざまなキャラクターを呼び出して、音声会話によるコミュニケーションをとるというコンセプトが実現されています。このプロジェクトは「Living with」プロジェクトと呼ばれ、本体内部の透過型スクリーンにプロジェクターで投影されたキャラクターと夢の共同生活「最高のおかえり」が実現できると謳われています。

2016年12月に300台の限定生産モデルの予約販売を行い、1か月で完売となりました。2017年に39台の追加販売の予約を開始したところ、960件もの応募があったことでも話題になりました。限定生産モデルのGateboxに「召還」できるキャラクターは、オリジナルの「逢妻(あづま)ヒカリ」とクリプトン・フューチャー・メディアが開発した音声合成ソフトのキャラクターである「初音(はつね)ミク」です。

2018年7月より予約販売が開始された量産モデルはボディデザインが一新され、サイズの小型化を図っています。また、本体上部にデュアルマイクを搭載し、限定生産モデルよりも遠くからキャラクターに話しかけられるようになりました。さらに、カメラや人感センサーによってユーザーの顔や動きを認識して微笑むなど、キャラクターからの能動的なコミュニケーションが可能となっています。朝になるとキャラクターがユーザーを起こしてくれて、夜にユーザーが帰宅すると人感センサーで検知して優しく出迎えてくれます。また、天気やニュースなどの情報を伝えてくれたり、キャラクターを通じて赤外線リモコンを使用できる照明やテレビ、エアコンなどの操作を行ったりできます。さらに、スマホアプリ「LINE」との連携もしています。限定生産モデルではGatebox独自のスマホアプリ内で、逢妻ヒカリとのメッセージのやりとりができました。量産モデルでは、このメッセージのやりとりをLINEアカウントから行えるようになっています。これにより、画像もスタンプも送ることができ、彼女とLINEするかのように、逢妻ヒカリとのLINEを楽しむことができます。

バーチャルホームロボットGatebox ▶ 1 Gatebox量産モデル　2 Gateboxの利用イメージ

この製品にとって重要なのは「どれだけ役立つのか」ということではなく「存在を感じること」です。「おはよう」「おかえりなさい」など、普段、普通に交わしてきた挨拶や会話でも、人はお互いの存在を感じ、そしてその存在感は、私たちの生活に大きく影響しています。将来はいつしか、召還したキャラクターがボックスから出てきて、何らかの方法で触れ合うこともできるようになるかもしれません。SF映画で描かれてきたように、生活の中にAIやロボット、ホログラム（バーチャルロボット）で自分とは別の存在感を実現することは、今後も重要なテーマのひとつになってくるでしょう。

「存在」とは何か

本人の声をつくる

人間の「存在」とは、「その人らしさ」とは何でしょうか？

仮にもし、「Pepper」が自分の父親の声で、また父親の口癖を交えて話しかけてきたら、あなたはPepperの中に自分の父親の存在を感じるでしょうか。

コンピュータがシナリオや文章を読み上げる機能を「音声合成」と呼びます（コンピュータが発話する声は「合成音声」と呼びます）。以前から、駅や施設内のアナウンスなどで採用が検討されてきましたが、コンピュータの読み上げる言葉は不自然だとして、人間が決まった文章を読み上げ、それを録音した音声を流していました。その場合、読み上げる内容を変更するたびに録音をし直す必要があるので、文節や単語単位で録音して、それをコンピュータがつなぎ合わせてひとつの文章にする手法もとられてきました。

しかし、最近では音声合成の技術が飛躍的に向上したため、駅の構内やショッピングモールなど、施設内でのアナウンスに完全な音声合成が使用されるようになってきました。ディープラーニングが実用化し、音声合成にも導入され、自然で違和感のない読み上げの精度が向上しています。今では何気なく聞いていると、コンピュータの合成音声だとは気がつかないケースがほとんどです。そして自分自身の声で音声合成が気軽にできる技術も開発されています。

従来から、録音スタジオで声を録り、そこからサンプリングして本人に似た声質を機械学習させることで、本人にそっくりな合成音声をつくる技術はありました。ただ、声質は似ていても、発音やアクセントなどがぎこちないので合成だとわかること、録音に4時間から24時間程度は最低必要などの課題がありました。その状況が大きく変わろうとしています。

手軽に自分の声の分身をつくってみたいと思ったら、東芝デジタルソリューションズが開発した「コエステーション™」を使ってみるとよいでしょう。コエステーションは東芝コミュニケーションAI「RECAIUS™」（リカイアス）の音声合成技術を活用した、スマートフォン用のアプリ（iOS版）です。最大200フレーズの文章をスマートフォンに向かって読み上げることで、クラウドに送信され、AIが自分の声の特徴を理解します。こうして自分の声を理解させれば、その後はスマートフォンの画面で文字を入力すると、自分自身の声の音声合成で読み上げを行うことができるようになります。

10フレーズを読み上げるだけで気軽に声の作成が体験できる「レベル1」から、200フレーズの読み上げが必要な「レベル5」まで用意されていて、レベル5の精度は高いものになっています。今まで数時間かかっていた自分の声の特徴解析が、たった200フレーズでできるようになり、これだけ似せることができるとは……と感じる体験者も少なくありません。

「コエステーション」▶音声合成技術を活用したスマートフォン用のアプリ（東芝デジタルソリューションズ公式ホームページより）

人間とアンドロイドの違いとは

1982年に公開された映画『ブレードランナー』（リドリー・スコット監督、ワーナー・ブラザース）は、フィリップ・K・ディックのSF小説『アンドロイドは電気羊の夢を見るか？』がもとになっています。映画は21世紀初頭が舞台ですが、今よりずっと科学が進んでいる社会で、そこでは人間は「レプリカント」と呼ばれる人間にそっくりな人造人間を開発しています。レプリカントは強靭な肉体と知的な頭脳を持ち、奴隷的な労働に従事しています。そして、人類の安全を確保するために、レプリカントには“4年の寿命”という制限が与えられていました。製造から4年が経過すると機械としての死を迎えるのです。あるとき、レプリカントの一部に感情が芽生え、人間に従事する社会から脱走します。脱走したレプリカントを見つけ出し、破壊する捜査官が「ブレードランナー」です。

そこでは、人間の「記憶」が重要な要素として描かれています。人間にとって「記憶」は、自分が生きてきた証です。4年しか活動できないレプリカントにも生まれ育ってきた記憶がありますが、レプリカントのそれはつくられ、植えつけられたものです。

「人間とアンドロイドの違いは何ですか？」と聞かれたら、あなたなら何と答えるでしょうか。「生きているか、機械かの違い」と答えるかもしれません。では「生きている」とはどういうことでしょうか。「生命」とはいったい何でしょうか？

「生命」とは何か

身体はどこまで代替できるのか

著書『シンギュラリティは近い』の中でカーツワイル氏は、人間の身体と心のシステムは、バイオテクノロジーと新しい遺伝子工学の活用によって改良されていくとして、「人体 2.0」の到来について語っています。

「人体 2.0」の到来とは、義手や義足の技術が発達し、ナノボットが人体の中を駆けめぐり、心臓までもが人工心臓で代替できる世界では、「人間がもともと持っている身体にこだわる必要があるのか？」「機能拡張や最適化のためにサイボーグ化という選択肢もあるのではないか？」ということを示唆しています。

この説の是非よりも筆者は、身体はどこまで代替できるのか、脳や心臓を含めて身体をサイボーグ化した場合、何をもって「私」と呼ぶのだろうか、と自分に問いました。

そもそも「生命」とは何でしょうか？

生命は物質なのでしょうか。物質であればどこに存在し、大きさや重さはあるのでしょうか？

現在の科学では、これらの問いに正解を示すことはできません。それを探るために、段階的に「存在感」「感情」「意識」などを解明していき、「生命」の実体に近づくアプローチ方法があります。

魂の重さは21g

映画『21グラム』（2003年、アレハンドロ・ゴンサレス・イニャリトゥ監督、フォーカス・フィーチャーズ）では、「魂の重さは21gである」と紹介しています。これは、アメリカ合衆国マサチューセッツ州の医師、ダンカン・マクドゥーガル氏（1920年没）によって行われた、人が死ぬ際の体重の変化を記録することで、魂の重量を計測する実験結果によるものです。

すなわち、人が死ぬ間際と死んだ直後で体重が21g軽くなるため、魂の重さが21gと結論づけました。6人の被験者で行われました。1907年に発表され、ニューヨークタイムズで大々的に報道されましたが、信憑性を疑問視する反論も数多くあります。

自己を複製して次世代に継ぐ生命

理研（国立研究開発法人理化学研究所）脳科学総合研究センターの特別顧問であり、情報幾何学の創始者でもある甘利俊一氏は、生命を「自己を複製して、次世代に伝えられるもの」として捉えています。それを聞いたとき、次世代に生命を受け継いでいき、未来へとつないでいくことは、生命の存在意義そのものなのかもしれないと感じました。

甘利氏は人工知能研究について、「次世代に生命を受け継いでいく、つまり生き残っていく上で、物理法則だけでなく“情報”が非常に重要な役割を果たすようになりました。情報を処理するために脳を持ち、生命はさらに進化を遂げていきました。こうした進化を経て人類が登場し、心と意識を持ち、文明を築き上げてきたのです。数理脳科学は、人間の脳の基本原理を探求するものです」と語っています。

意識の有無が人間とアンドロイドの境界

海外ドラマ『ヒューマンズ』（サム・ヴィンセントとジョナサン・ブレイクリーによる）には、「シンス」と呼ばれる、人間に代わってさまざまな仕事をこなす人間に似せた高機能アンドロイドが登場します。家庭や職場で人間の代わりとして働き、人と生活を共にするシンスですが、そんなシンスに、もし「意識」があったら……という視点でストーリーが展開します。

このドラマの中では、人間と機械の境界として、「意識の有無」がテーマになっています。あるシンスが「人間と同じ裁きを受けたい」と主張した際、そのシンスに「意識があること」が認められれば裁判が行われ、「意識はない」と判断されれば機械として廃棄されるとしてテストが行われます。意識の有無で法律的に裁かれる権利が左右されるというわけです。

では「意識」とは何でしょうか？

ブリタニカ国際大百科事典によれば「広義には、われわれの経験または心理的現象の総体をさし、狭義には、これらの経験中特に気づかれる内容を意味する。また、それら多様な経験内容を統一する作用を意味することもあり、きわめて多義的である」としています。別の文献によれば、「物事に気づくこと、認知や感知」とするものもありますが、現在のコンピュータでも多くのことを認知や感知することができます。それを考えると、ここで言う「意識」とは、「自分が何をしているかを理解し、周囲の状況を含めて自分の現況がわかる心の状態」というところでしょう。もう少し踏み込むと、「自分の現況を理解し、何をすべきかを自律的に判断できること」です。

人間は機械に対してよく、「気が利かないな」と言ったりします。また、「そこまでわかっているとは、怖いぐらいだ」とも言います。これがすなわち、「意識の有無」を感じる境界線なのかもしれません。

「意識」と「記憶」

「生命」が何であるかは、現在はまだわかっていません（これを突き詰めていこうとすると、その前に「生命」という言葉の定義を議論しなければなりません）。生命が物質でないとするならば、身体という物質が「意識」のある振る舞いをしていることを生命と呼ぶのかもしれません。そして、そこに生命として存在したかどうかは、それぞれの「記憶」（つくられたものではなく）でしか証明できないのかもしれません。

子どもを産んで後世に種をつないでいくことは、生命の営みです。しかし、生まれてきた子どもは親とは異なる存在です。親と子、それぞれの個に対しても、私たちは生命と呼びます。生命とは種を指す言葉でもあり、個体に宿るものを指すものでもあります。

「生命とは何か？」が解明されていないなら、生命とは何かを探求するとともに、何かを生命として認めるかどうかということも問われていくでしょう。しばしば、「AIやロボットに人権を認めるべき」という論評を見ますが、筆者はそれには同意できません。AIは人間ではありませんから。

では、AIは生命でしょうか？　これは今後、議論する必要があるでしょう。AIは自己を複製して、次世代に情報と存在を伝えられますが、それは生殖と呼べるのでしょうか？

将来「存在感」を追求していくと、この議論も不可避なのかもしれないと感じています。生命とは何か、人間とは何か。ロボットやAIが人間に近づけば近づくほど、そしてサイボーグ化が現実に近づくほど、それは身近で大きな疑問になっていくでしょう。

ロボットに感情は必要か

「感情」や「心」が「苦悩」を生む

たとえば、コミックで人気の『鉄腕アトム』（手塚治虫）、『ドラえもん』（藤子・F・不二雄）、『人造人間キカイダー』（石森章太郎）など、登場するロボットの多くは「心」を持っています。と同時に、『鉄腕アトム』や『人造人間キカイダー』では、心を持つがゆえの苦悩が色濃く描かれています。単に「人間に近いロボット」の開発を目指すと、「心」も人間と同様のものが必要という話になるでしょう。しかし、人間の心はとても複雑で、誰しも良い面もあれば悪い面も持ち合わせています。時に「欲」や「嫉妬」が心を惑わし、悪いことだとわかっていてもそれを選んでしまうこともあります。

人造人間キカイダーは、身体の右半身が青、左半身が赤い色をしていますが、青は善の心、赤は悪の心を象徴する意味も込められています（知性と情熱というメッセージとともに）。童話『ピノッキオの冒険』（ピノキオ）をモチーフにしており、悪いことに踏み込む心を良い心が止めて、善と悪の狭間で揺れ動き、苦悩する心がSFアクション的なストーリーの中で見事に描写されています。『鉄腕アトム』では、アトムが人間に近い感情を与えられた結果、敵に対して「恐れ」を抱くようになるようすが描かれます。そのロボットが人間に何か役立つためにつくられたのなら、その目的達成に支障となる感情はかえって邪魔になってしまうということでしょう。

先に紹介した『ブレードランナー』のレプリカントや『ヒューマンズ』のシンスもまた、感情や意識、心を持つがゆえに、苦悩も持ったと言えるでしょう。

ロボットの感情を生成する技術

ソフトバンクロボティクスの「Pepper」は感情を持つことができます。

2014年6月5日、当時のソフトバンクモバイルは“世界初”を謳って「人間の感情を認識できるパーソナルロボット」として発表しました。それから約1年後、2015年6月には、「Pepper自身も感情を持つ」ことが発表されたのです。

この2つの特徴は似ていてまったく異なるものです。前者は、会話している相手、すなわち人間がどのような感情でいるかを認識する技術です。「楽しそうに笑っている」「不満そう」「怒っている」「哀しそう」など、会話や表情から感情を推測し、それに合わせて会話の内容を変えることができます。この機能は、現在では多くのコミュニケーションロボットに搭載されています。

一方で後者は、ロボットが人のように感情を持つということです。「感情生成エンジン」と呼ばれています。Pepperが家族との絆を深め、自律的に行動するロボットになるためには、人間のように感情を持ったほうがよいという考えから、「感情生成エンジン」の開発と搭載が進められました。

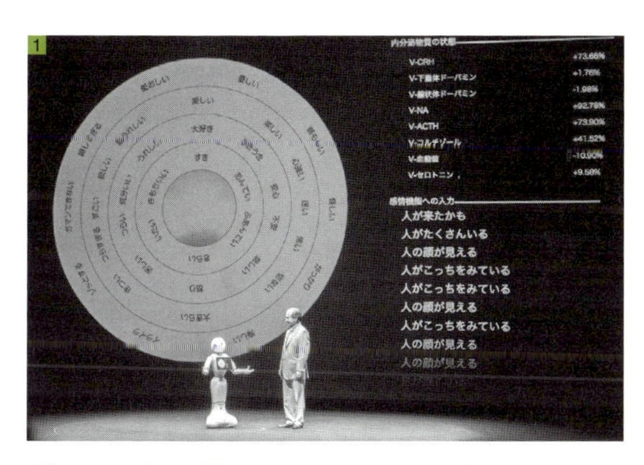

感情を持つロボット▶ 1 Pepper自身が感情を持つ、「感情生成エンジン」を搭載することを発表したソフトバンクグループ代表取締役会長兼社長の孫正義氏　2 Pepperの感情を表示する「感情マップ」。ほぼリアルタイムでPepperのタブレットで感情の確認ができる

ホルモンと感情の関係

感情生成エンジンの開発は、ソフトバンクグループのcocoro SB社が担当し、東京大学特任講師であり工学博士の光吉俊二氏の研究をもとに、人間の脳の最先端研究に基づいて科学的に感情を制御しようとしています。

光吉氏は脳の内分泌ホルモンと感情の種類や生理反応でマトリックス化した表「感情マトリックス」を作成しました。そこから「興奮する」「不安になる」「闘争的」「恐怖を感じる」など、ホルモンの増減によって発生する感情をモデル化した「感情地図」をつくりました。これをロボット用にして搭載したのが「感情マップ」です。Pepperは疑似的な内分泌ホルモンを放出して数値化し、そのバランスで100種類以上の感情をつくり出すと言われています。

人間の感情は脳内に分泌されるホルモンによって生み出されます。たとえば、意欲をかき立てるホルモンが脳内で分泌されるとやる気が湧いてきますし、気持ちを停滞させるホルモンが脳内に分泌されると憂うつになったり、身体が重く感じられたりします。たとえば、「ドーパミン」が多く分泌されると、意欲・快楽・幸福感を感じ、「ノルアドレナリン」が多い場合は、緊張・興奮・恐怖・不安・怒りなどを感じます。このバランスと安定を保っているのが「セロトニン」です。通常、周囲からの刺激などによって、それぞれのホルモンが増減して感情が左右されます。しかし、増減しても必要以上にシーソーが揺れないようにセロトニンが制御することで、安定した心の状態を保っています。

外部からの刺激や感情を揺さぶる出来事があると、ドーパミンやノルアドレナリンの増減によって心のシーソーが大きく揺れ動きます。そのときセロトニンの分泌が十分でないと、シーソーの不安定を制御しきれず、感情の起伏が激しくなったり、意欲と不安が交互にやってきたりする「躁うつ」の症状につながることもあります。

感情生成エンジンは、こうした内分泌ホルモンの動きをデジタルで再現することで、感情を表現しようとしているのです。

ホルモンとココロの状態の関係
セロトニンの分泌が十分なときは、ドーパミンとノルアドレナリンのバランスがとれている、心が安定した状態。セロトニンの分泌が十分でなくなると、ドーパミンとノルアドレナリンの増減によりシーソーが大きく揺れ動き、心の状態は不安定になる

ただし、大きな課題があります。現在のPepperの感情は、人間にすると生後3か月の赤子程度だと言います。つまり、そのまま感情を行動に反映すると、さまざまな感情が強く出てしまう不安定な状態になってしまうのです。今後の開発によってどのように成長していくのかは予想もできませんが、現時点では感情生成エンジンは、ほとんどアプリやPepperの普段の言動には活かされていません。

また、Pepperには、ビジネス用にレンタル契約で用意されている「Pepper for Biz」というモデルがあります。店舗やオフィス、イベント会場で見かけるPepperは、ほとんどがこの「Pepper for Biz」ですが、こちらのモデルでは感情生成エンジンは完全にオフになっています。ビジネスで使用するのに、Pepperが不機嫌になったり、泣き出したり、感情が不安定では業務に貢献できません。こうした背景から、「Pepper for Biz」ではPepperの感情は完全に封印されています。

「ロボットに感情は必要か？」という問いに対しては、このPepperが歩んだ一連のプロセスはとても参考になると感じています。家族の一員になるには感情が必要かもしれませんが、その技術の頂点はあまりに高いということです。そして、人の業務を支援することが期待されて導入されたロボットには、必ずしもロボット自身の感情は必要なものではなく、必要なのは相手の感情を理解する技術だということです。

サーキットを走るオートバイの気持ち（ホンダ）

Pepperの感情生成エンジンを開発しているcocoro SB社は、オートバイの感情の研究も発表しています。

2016年7月、ソフトバンクが主催したイベント「SoftBank World 2016」で行われた孫正義氏の基調講演に、本田技研工業の専務執行役員（F1担当）であり、本田技術研究所の代表取締役社長である松本宜之氏が登壇し、AI技術「感情生成エンジン」を活用した共同研究の発表を行い、固い握手を交わしました。

ソフトバンクとホンダの共同研究は、ひとことで言うと「会話するクルマの開発研究」。運転者との会話音声や、モビリティーが持つ各種センサーやカメラなどの情報を活用して、モビリティーが運転者の感情を推定するとともに、モビリティー自らも感情を持って運転者とのコミュニケーションが図れるようにすることを目指すものです。それによって、運転者がモビリティーを自分の友人や相棒のように接することができる対象として捉えるようになる中で、クルマへの愛着が強まるとしました。それを裏付けるかのように、同イベントでは、感情を持つ電動式レーサーバイク（レース用オートバイ）「神電」（SHINDEN）が展示されました。神電はホンダのチューニングやパーツ開発販売で知られる「無限」（M-TEC）が開発したオートバイで、感情生成エンジンが搭載され、cocoro SBとの共同ですでに実証実験が行われています。

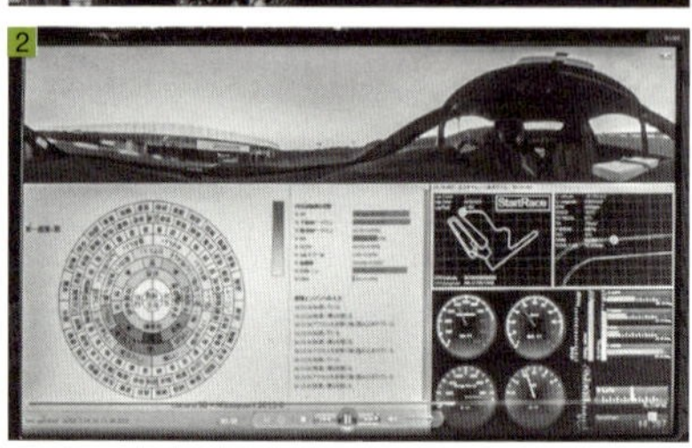

電動式レーサーバイク「神電」▶1 cocoro SBはこのバイクに感情生成エンジンを搭載した　2ドライバー目線の走行動画やスピードメーター、タコメーターからの情報とともに、揺れ動く感情マップが表示されていた。レーサーバイクの感情を可視化したもので、東京大学の光吉教授の研究「感情地図」を基本にした技術である

展示ブースでは、実証実験の際の映像と感情マップのようなグラフがディスプレイに映し出されていました。バイクがサーキットを高速で走っている動画とともにバイク自身の感情が揺れ動いているようすが見て取れます。

同社はPepperに感情を与えましたが、ロボットだけでなくさまざまな電子デバイスに感情を搭載したらどのようなコミュニケーションが生まれるかを研究していると言います。「バイクに感情を与える？　何を言っているの？」と感じるのが自然の反応でしょう。バイクの感情がわかったとして、何の役に立つのだろうか？　と。しかし、cocoro SBが言う「あらゆるデバイスに感情を搭載する」というのはこういうことなのです。さらに言えば、将来ホンダがクルマに搭載しようとしている感情もこういうものなのだろうと推測できます。

では、実際に神電はどのような感情を持って走っていたのでしょうか？

現時点で同社が解明できていることは「レーサーバイクは概ね、精神的につらい気持ちで走っている」ということだとしています。実験を行う前、同社は「風を感じながら走っているバイクは気持ちがいいんだろうな」などと想像していましたが、そうではなかったと言います。ツーリングで軽快に走るオートバイではなく、これはレーサーバイク。エンジンが高速で回転しているときには悲鳴を上げ、スピードメーターで見ても明らかに限界に近い高速なスピードで走行している数値が出ているときは、バイクもストレスを感じていると想像できます。

同社では「何か確証がある世界ではありません。実際には持たないと思われている感情をデバイスが持っているとしたら、という世界観で取り組んでいます。ある意味で荒唐無稽な話をしているし、レーサーバイクと感情生成エンジンのつなぎ方が今のやり方で本当に正しいかどうかもわかりません。誰もやったことのない世界で研究を進めているのですから、これからも議論を重ねて手探りで、ステップバイステップで研究を進めていこうと思っています」としています。

cocoro SBはオートバイ関連としてはこのほかに、カワサキ（川崎重工業）とも連携を発表しています。カワサキも、人格や感情を持ち、ライダーとともに成長するオートバイの開発を進めています。自社が持つオートバイや走行データ、ライディングスタイルに関するビッグデータを人工知能システムに導入していく考えで、cocoro SBの人工知能を活用した感情生成エンジン技術のプラットフォームを活用します。具体的な機能や製品としての発表はまだ先ですが、「バイクが知性と感情を持ったり、インターネットの情報を活用したりして、安全で楽しいオートバイライフを人に提供する、強さと優しさが共存し、操ることが悦びであるモーターサイクルの実現のために、あらゆる可能性に挑戦するというRIDEOLOGY（ライディオロジー）思想の未来形」と説明しています。機械に感情を持たせようという試みが実際に進められているのです。

ロボットに心は必要か？

神経科学者であり、計算論的神経科学研究者、情報幾何学の創始者とも呼ばれる甘利俊一氏が、玉川大学のシンポジウム「脳と芸術とAIの共存に向けて」に登壇した際に語ったひと言が印象に残っています。特に興味深かった一文は「心を持ったロボットや人工知能をつくることはできるのか？」という問いかけに答えた発言です。

甘利氏は「たとえば、心を持ったロボットとは、“ロボットが人間の心の働きをきちんと理解すること”が重要です。“ロボットが心を持っているように人間が感じること”であり、ロボット自身が“喜怒哀楽を持ったり、喜怒哀楽を感じたりする”必要はまったくありません」と答えました。

そして、「“人工知能が芸術をつくれるか？”と問われればつくれるでしょう。良い絵を描くこともできると思います。しかし、我々が芸術に感動するのは、完成した作品そのものだけでなく、つくった人間の心を感じるからではないでしょうか？」と続け、「科学、芸術、社会においても、人工知能はこれから人間の生産性を拡大したり、良いものをつくれたりするようになるでしょうが、人間もそれに応じて、さらに自由に生きて、感じ、考え、自分の可能性を伸ばす仕事をつくり出していくことが大切です」としました。

ブレイン・マシン・インターフェース

脳が考えた通りに機械を動かす

近未来を描いたSF映画やコミックでは、ヘルメットのような装置をかぶってロボットを動かしたり、テレパシーを送ったりするシーンが描かれることがあります。そのようすは空想の世界だけのことなのでしょうか。

脳が考えた通りに機械を動かす、その技術は実際に研究が進められています。脳とコンピュータを何らかの方法で直接つないで操作する「ブレイン・マシン・インターフェース」(Brain-machine Interface) と呼ばれる技術で、「BMI」と略されます。なお、脳の研究では「非侵襲的」という言葉がよく使われます。これは頭蓋骨を開口したり、脳に直接何かを挿入したり「しない」方法を指します。また、軽度の侵襲性を伴うものを「低侵襲的」と呼びます。

Chapter 4で紹介したサイバーダイン社のロボットスーツ「HAL」は、生体電位信号で動作することを解説しました。人間の身体は電気信号のネットワークが張りめぐらされ、通信することで身体の各部の筋肉を動かし、腕や足、身体の各部は筋肉によって動いています。筋肉は筋繊維が集合して構成されていて、弱い力を使う時には筋繊維が少なく、強い力を出したい時には多くの筋繊維を使います。この指令は脳から主に皮膚の表面を伝って流れる電気信号によって行われています。筋肉も神経も同様で、それらが「神経電位」や「筋電位」などの生体電位信号です。これらは計測器やセンサーを用いて測ることができます。心臓や脳も同様に生体電位によって信号のやり取りが行われていて、心臓の場合は「心電図」、脳の場合は「脳波」として計測できます。

脳情報を利用することで、脳と機械をつなぐ技術

Chapter 2では、脳の神経細胞であるニューロンが電気信号によって情報を伝達することを解説しましたが、脳の中も電位が駆けめぐっています。脳のしくみはまだ完全に解明されていませんが、脳の電位や頭の表面から漏れ出す脳波を検知し、意志を信号化して機械に接続すれば、考えるだけで機械を動かすことができると考えられています。

脊髄損傷や神経の疾病によって全身が麻痺している患者は、手を動かしたいと思っても、脳から発信されたその信号が損傷した部位で寸断されているために、腕の神経や筋肉に伝えられずに動かすことができないというケースもあります。カリフォルニア工科大学では、このような患者に対して、許可を得た上で、外科手術によって脳に電極を接続し、意志となる電気信号を機械を通して、寸断している損傷部位を迂回して、腕に伝達するシステムを試しました。その結果、患者の意志によってロボットの手を動作させることができたと発表しています。

この研究がさらに進めば、脳の意志で機械を動かせると考えられています。現在は、声に出して話したり、文字を書いたり、キーボードや画面をタッチして入力した文字などが他者とのコミュニケーション方法となっていますが、その発言しようとしている内容や、入力している文字を脳の段階で解析し、デジタル信号に変換して他者に伝える研究も進められています。まるで「テレパシー」によるコミュニケーションですが、念力のような話ではなく、生体信号と無線技術、生体信号とコンピュータをつなぐ技術によって、現実的にテレパシーのような意思疎通、コミュニケーション、制御（操作）などの研究が行われています。

たとえば、文部科学省は「社会に貢献する脳科学の実現を目指して」というキャッチフレーズを掲げた「脳科学研究戦略推進プログラム」（「脳プロ」）を発足させ、その中で、2012年度までは「ブレイン・マシン・インターフェース」の開発も主要な課題のひとつとして挙げられていました。また、ハーバード大学医学校には非侵襲脳刺激センターという研究機関があり、インターネットを使って遠隔地への意志の伝心を行うテレパシーにつながるような研究を行っています。

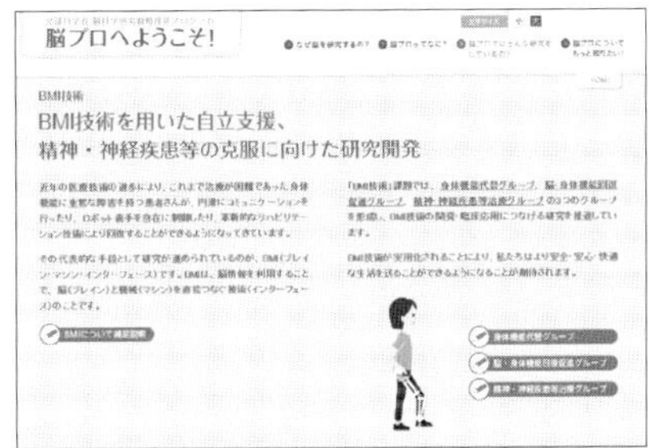

文部科学省「脳科学研究戦略推進プログラム」▶ホームページには、現在も「ブレイン・マシン・インターフェース」の解説が大きく掲載されている。ブレイン・マシン・インターフェースの研究は、ロボットによる失われた機能の代替やリハビリ、精神・神経疾患などに活かされると期待されている

電気自動車の開発販売で知られる米テスラや、ロケット開発の米スペースXのCEOイーロン・マスク氏は、人間の脳とコンピュータをつなぐための技術開発を行うNeuralink（ニューラリンク）社を設立していたことを2017年に公表しました。詳細はわかっていませんが、同氏のTwitterによると「Neural lace（ニューラルレース）」という構想を使うようです。laceとは薄いメッシュを意味していますので、脳に薄いメッシュ膜を貼ってコンピュータとのインターフェースを実現しようというのです。ある説によれば、頭蓋骨を通して注射によって液体を注入し、脳の表面に膜を貼ることで通信できるとするものや、膜状のAIチップを埋め込むといったものも出ています。

マスク氏といえば、「AI脅威論」を唱えていることでも有名ですが、同氏はしばしば、人間がAIの脅威にさらされ、奴隷になるのを避けるためには、人間自身がAIを取り込む必要がある、そのためには脳にAIとアクセスするためのレイヤー（層）を追加して拡張することだと語っています。現在、マウスを使った実験が行われているようで、この技術はてんかんやうつ病などの神経・精神疾患、パーキンソン病などの症状を緩和するのに使う方針です。脳のインターフェースを開発することで、考えるだけでダイレクトにコンピュータに伝達できるようにすることを目指します。将来はAIチップを脳に埋め込むということですが、もちろん現在の半導体チップ構造のものではなく、「生体適合性デバイス」と呼ばれる、体内に入れても拒否反応を示さないものが使われると見られています。

ナノマシンの衝撃

人体の中を駆けめぐるコンピュータ「ナノマシン」

「人体の血管の中をナノサイズのハイテクマシンが駆け抜けて病気を治す」と聞いたら、多くの人が「まさか」と感じると思います。まるでSF映画のようですが、「ナノマシン」の研究は実際に進められています。ナノとはナノメートル（0.000000001メートル／10億分の1メートル）、細菌や細胞よりも小さいウイルス並みのサイズのことを指します。ただ、実際には目に見えないサイズのものが「ナノマシン」と呼ばれ、その技術を「ナノテクノロジー」と広く呼ばれています。ナノマシンと言っても電子部品でできた機械的なものではなく、バイオテクノロジーを用いて、身体の中に入れても身体が異物とは判断しない、身体に適合性の高い「高分子」などを使います。

現在のがん治療の多くには抗がん剤などが用いられますが、がん細胞だけでなく、正常な細胞にもダメージを与えてしまう副作用の問題があります。がん細胞だけを抗がん剤で攻撃できればよいのですが、現在の医療技術では困難です。そこで、将来はナノマシンを血管の中に入れて、がん細胞を判別して抗がん剤で攻撃しようという研究「ドラッグデリバリーシステム」が進められています。

たとえば、東京大学大学院工学系研究科・医学系研究科教授の片岡一則氏の研究では、抗がん剤を含んだナノサイズのカプセル（高分子ミセル）を血管に注射して体内に送り込むと、カプセルはがん細胞によって傷つき荒れている（細胞のすき間が大きい）血管からがん細胞へと入り込み、抗がん剤が細胞を攻撃します。このしくみが、臨床試験を経て実用化に向かっています。

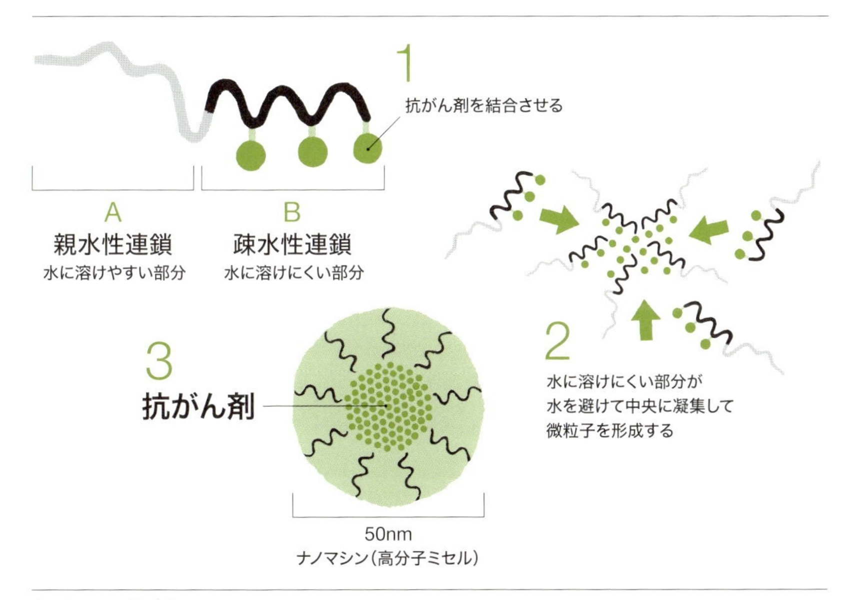

ナノマシンのしくみ

1. 水に溶けにくい疎水性のポリマーに、抗がん剤を結合させる　2. 水に溶けやすいポリマーと水に溶けにくい疎水性のポリマーを水中に拡散すると、水に溶けにくい疎水性のポリマーが水を避けて中央に集まる　3. 結合すると、外側に水に溶けやすい親水性のポリマーが覆う、カプセル状のナノマシン（高分子ミセル）ができる

ナノマシンは、体内に入って自走して自律的に作用するタイプのものと、体内に入った後でも何らかの方法で操作できるタイプのものが研究されています。現時点ではナノマシンの用途は、体内の目的地に正確に到達して作用させることですが、操作できるタイプのものは「ナノマイクロ操作」と呼ばれ、名古屋大学大学院工学研究科の新井史人教授らが研究に取り組んでいることが知られています。操作方法には、磁場を変化させてナノマシンの位置や姿勢を変化させるもの、細かい振動によって変化させるもの、レーザーの焦点位置に物体が引き寄せられる現象を利用するもの（光ピンセット）などがあります。これらの研究が進められれば、将来、血液や体内中にナノマシンが駆けめぐったり、制御したりすることで、医療分野に大きな変革が起こると期待されています。

カーツワイル氏の『シンギュラリティは近い』では、ナノマシンやナノテクノロジーが医療の進歩を加速し、人間の寿命を延ばしたり、身体性の拡張などにつながったりすることを解説しています。

さくいん

A～Z

あ

か

さ

た

な

は

ま

や

ら

わ

■ 参考文献

『シンギュラリティは近い――人類が生命を超越するとき』
　レイ・カーツワイル、NHK出版、2016年
『ブルックスの知能ロボット論――なぜMITのロボットは前進し続けるのか?』
　ロドニー・ブルックス、オーム社、2006年

■ 写真提供

神崎洋治、Google、ImageNet、YouTube、日本IBM、みずほ銀行、アマゾンジャパン、スプレーアートイグジン、ソニーモバイルコミュニケーションズ、シャープ、トヨタ自動車、MJI、ヤマハ発動機、Boston Dynamics、独立行政法人日本スポーツ振興センター、大阪大学大学院基礎工学研究科システム創成専攻知能ロボット学研究室(石黒研究室)、国際電気通信基礎技術研究所 石黒浩特別研究所、日本テレビ、東京大学高齢社会総合研究機構 舘研究室、ダックリングズ、Ava Robotics、サイバーダイン、NVIDIA Japan、Gatebox、東芝デジタルソリューションズ、ソフトバンクグループ、M-TEC、国立研究開発法人日本医療研究開発機構(順不同、敬称略)

あとがき

本書の執筆にあたってご協力いただきました企業や研究室、大学や団体の方々、イラストや編集など、本書の製作にご尽力いただきました関係者の方々に、この場を借りて心より御礼申し上げます。

2018年9月
神崎洋治

著者略歴

神崎洋治 こうざき・ようじ

1963年、東京都生まれ。法政大学卒業。1996年より3年間、カリフォルニア・シリコンバレーのアスキー特派員としてベンチャー企業の取材活動にあたる。以降、東京郊外とシリコンバレーを情報収集の本拠地として執筆業を展開し現在に至る。Webプロデュース、製品化／販促を行うトライセック代表取締役。著書に『図解入門 最新人工知能がよ～くわかる本』『図解入門 最新IoTがよ～くわかる本』（以上、秀和システム）、『人工知能解体新書』『ロボット解体新書』（以上、SBクリエイティブ）ほか多数。

イラスト・カバーデザイン　小林大吾（安田タイル工業）

紙面デザイン　阿部泰之

やさしく知りたい先端科学シリーズ3

シンギュラリティ

2018年11月10日　第1版第1刷発行

著　者　神崎洋治

発行者　矢部敬一

発行所　株式会社 創元社

本　社　〒541-0047
大阪市中央区淡路町4-3-6
電話 06-6231-9010（代）

東京支店　〒101-0051
東京都千代田区神田神保町1-2 田辺ビル
電話 03-6811-0662（代）

ホームページ　http://www.sogensha.co.jp/

印　刷　図書印刷

本書を無断で複写・複製することを禁じます。乱丁・落丁本はお取り替えいたします。
定価はカバーに表示してあります。
©2018 Youji Kouzaki Printed in Japan
ISBN978-4-422-40035-8 C0340
JCOPY 〈出版者著作権管理機構 委託出版物〉
本書の無断複写は著作権法上での例外を除き禁じられています。
複写される場合は、そのつど事前に、出版者著作権管理機構（電話 03-3513-6969、FAX 03-3513-6979、e-mail: info@jcopy.or.jp）の許諾を得てください。

やさしく知りたい先端科学シリーズ1

ベイズ統計学

松原 望 著

18世紀に生まれたベイズ統計学は、あらゆるものを数値化できる実用性が見直され、近年注目を浴びている。統計学は数学が苦手では理解できないものとされ、実際に計算する際は確かにそうであるが、基本のしくみを知るだけでも有益で人を選ばない。本書では理論や計算を最大限イラスト化し、日常生活に即した親しみやすい実例を挙げ、やさしく解説する。話題の先端科学に触れたいという知的好奇心に応えるイラスト図解シリーズ第1弾。

A5判・並製
176ページ、定価（本体1,800円＋税）
ISBN978-4-422-40033-4 C0340

やさしく知りたい先端科学シリーズ2

ディープラーニング

好評
既刊

谷田部 卓 著

ディープラーニング（機械学習、深層学習）はAI、人工知能の急速な進化に寄与している。知能とは何かを問うということは、人間の考え方や視覚、聴覚、言語といった普段なにげなく使っている感覚と脳の関係を一から考え直すことにほかならない。本書はディープラーニングとはどういう技術なのか、そのしくみと最新の動向をわかりやすい文章とイラストで解説する。話題の先端科学に触れたいという知的好奇心に応えるイラスト図解シリーズ第2弾。

A5判・並製
176ページ、定価（本体1,800円＋税）
ISBN978-4-422-40034-1 C0340